Quando eu voltar a ser criança

CIP-BRASIL. CATALOGAÇÃO NA PUBLICAÇÃO
SINDICATO NACIONAL DOS EDITORES DE LIVROS, RJ

K86q

Korczak, Janusz, 1878-1942
    Quando eu voltar a ser criança / Janusz Korczak ; tradução Yan Michalski. – [18. ed.]. – São Paulo : Summus, 2022.
    200 p. ; 21 cm.

    Tradução de: Kiedy znów będę mały
    ISBN 978-65-5549-072-5

    1. Ficção polonesa. I. Michalski, Yan. II. Título.

22-77160
                                        CDD: 891.853
                                        CDU: 82-3(438)

Meri Gleice Rodrigues de Souza - Bibliotecária - CRB-7/6439

www.summus.com.br

Compre em lugar de fotocopiar.
Cada real que você dá por um livro recompensa seus autores
e os convida a produzir mais sobre o tema;
incentiva seus editores a encomendar, traduzir e publicar
outras obras sobre o assunto;
e paga aos livreiros por estocar e levar até você livros
para a sua informação e o seu entretenimento.
Cada real que você dá pela fotocópia não autorizada de um livro
financia o crime
e ajuda a matar a produção intelectual de seu país.

Quando eu voltar a ser criança

JANUSZ KORCZAK

Do original em língua polonesa
KIEDY ZNÓW BĘDĘ MAŁY
Copyright © 1981, 2022 by Janusz Korczak
Direitos desta tradução adquiridos por Summus Editorial

Editora executiva: **Soraia Bini Cury**
Revisão: **Janaína Marcoantonio e Raquel Gomes**
Tradução: **Yan Michalski**
Capa: **Luísa Gimenez [Studio DelRey]**
Projeto gráfico: **Gabrielly Silva | Origem Design**
Diagramação: **Crayon Editorial**

Esta capa foi produzida na Turma 3 do curso Real Job Capa de Livro, ministrado por Delfin na LabPub em 2022

A Summus Editorial agradece a colaboração do Consulado-Geral da República da Polônia (São Paulo) e da Agência Polonesa de Autores na obtenção do original em polonês e na autorização para sua tradução, cuja propriedade fica reservada à Editora

Summus Editorial
Departamento editorial
Rua Itapicuru, 613 – 7º andar
05006-000 – São Paulo – SP
Fone: (11) 3872-3322
http://www.summus.com.br
e-mail: summus@summus.com.br

Atendimento ao consumidor
Summus Editorial
Fone: (11) 3865-9890

Vendas por atacado
Fone: (11) 3873-8638
e-mail: vendas@summus.com.br

Impresso no Brasil

Sumário

Apresentação à edição brasileira — *Tatiana Belinky* 7
Ao leitor adulto 11
Ao leitor jovem 13
Prólogo 15

Primeiro dia 23
Segundo dia 67
Malhado 103
Amor 141
Dias cinzentos 175

Apresentação à edição brasileira

A *vida inteira* de Janusz Korczak (Henryk Goldszmit) foi uma luta em favor da criança, em defesa dos seus direitos humanos, do respeito que lhe é devido em casa, na escola, na rua, no orfanato ou seja lá onde for. Janusz Korczak foi um batalhador pela causa que escolheu, grande e justa causa que exigiu dele estudos e pesquisas de cientista, criatividade de poeta, combatividade de jornalista e coragem de inovador. Mas que, principalmente, exigiu dele o que mais ele tinha para dar: amor — um amor sem limites por todas as crianças, mas em especial pelas crianças desamparadas. Amor que ele vivenciou até as últimas consequências, como um justo, como um santo.

Janusz Korczak deveria ter o seu retrato em lugar de honra em todas as escolas do mundo, deveria existir um "Dia Internacional de Janusz Korczak", para que todas as crianças pudessem comemorar a data em homenagem a este homem — médico, humanista, professor, educador, escritor, reformador — que foi o seu maior amigo. E que disso deu prova em toda a sua vida, que culminou na prova maior: sua morte de herói e mártir da causa da criança. Porque Janusz Korczak, que teve oportunidade de ser retirado do gueto de Varsóvia, onde fora confinado com as duzentas crianças do seu orfanato por ser judeu, recusou a salvação e preferiu ser arrastado ao famigerado campo de concentração de Treblinka, para morrer assassinado pelos nazistas junto com as crianças que não quis abandonar.

Janusz Korczak escreveu muito: artigos científicos, ensaios psicológicos, panfletos, contos, peças de teatro — e livros para e sobre crianças. Este *Quando eu voltar a ser criança* é um deles.

─────(Janusz Korczak)─────

A obra, que é uma espécie de "ficção psicológica", está escrita na primeira pessoa, como o relato de um professor primário que, cansado dos seus problemas de mestre-escola e adulto, se lembra com saudade da decantada "aurora da minha vida" e magicamente volta à infância; volta a ser criança, mas sem perder a memória de adulto. E então, passando pela experiência de alguns dias na vida de um garotinho, ele descobre que ser criança — mesmo uma criança de classe média, bem alimentada, com pais vivos, lar, irmãzinha, brinquedos — não é nenhum mar de rosas. São tantas as dificuldades! Fora alguns momentos bonitos — um claro dia de neve, um "namoro" infantil, um cachorrinho encontrado na rua —, são tantos os problemas! Tantas incompreensões, arbitrariedades, autoritarismo, injustiças, violências morais e físicas que a criança tem de suportar, calada e submissa. Até as manifestações de "carinho" de certos adultos são tantas vezes grosseiras, desagradáveis e humilhantes...

"Para nós não existe direito nem justiça, somos uma classe oprimida", escreve o "pequeno autor". No mundo dos adultos, a criança "não tem importância": é tratada com desatenção, menosprezo, impaciência. Eles sempre têm mais o que fazer do que se incomodar com as "puerilidades" infantis. Qual é o adulto que entende que, "se ele me deu os patins de presente, se o presente é meu, então posso fazer o que quiser com eles"? (No caso, trocar os patins com um colega por um cobiçado estojo.) Qual é o adulto que compreende que uma criança pode querer ficar triste — "A tristeza não é ruim, é um sentimento suave e agradável" —sem que isso seja causa de repreendas e "cobranças"? Quem entre os adultos reconhece a sexualidade infantil, o amor de uma criança por outra? Ou respeita as lágrimas infantis? Por que eles não entendem que os vidros quebram, as molas (do sofá) arrebentam, as calças rasgam — e não é por perversidade proposital da criança?

Os exemplos são muitos neste livro tão cheio de compreensão da alma infantil, de ternura e delicado humor. Um livro aparentemente dirigido às crianças, mas que de fato se dirige aos adultos

— pais, mestres, parentes, educadores — e coloca diante deles um espelho impiedoso, mas capaz de abrir os olhos, ainda que seja apenas os dos menos empedernidos... Só por isso já valeria a pena lê-lo. Mas não só por isso: *Quando eu voltar a ser criança* é também uma leitura amena e agradável, em que pese a seriedade e importância do seu conteúdo.

Tatiana Belinky

Ao leitor adulto

Vocês dizem:
— Cansa-nos ter de conviver com crianças.
Têm razão.
Vocês dizem ainda:
— Cansa-nos porque precisamos descer ao seu nível de compreensão.
Descer, rebaixar-se, inclinar-se, ficar curvado. Estão equivocados.
— Não é isso que nos cansa, e sim o fato de termos de nos elevar até alcançar o nível dos sentimentos das crianças.
Elevar-nos, subir, ficar na ponta dos pés, estender a mão.
Para não machucá-las.

Ao leitor jovem

Vocês não encontrarão nesta novela aventuras palpitantes. É uma tentativa de novela psicológica.

Em grego, *psyche* quer dizer *alma*.

O assunto deste relato é aquilo que acontece na alma do homem: o que ele pensa, o que sente.

Prólogo

Foi assim:
Estou deitado na cama, mas não estou dormindo. Então me lembro de que quando era pequeno pensava muitas vezes sobre o que faria quando ficasse grande.
Fazia muitos planos.
Quando for grande, construirei uma casinha para os meus pais.
Vai ter um pequeno jardim. Então, vamos poder plantar árvores nele: pereiras, macieiras, ameixeiras. E vou semear flores. De tal maneira que, quando umas estiverem murchando, outras desabrocharão.
Comprarei uma porção de livros ilustrados, ou sem ilustrações, mas que sejam interessantes.
Comprarei tintas, lápis de cor. Vou desenhar e pintar. Tudo que estiver vendo, irei pintando.
Vou tomar conta do jardim, e vou construir um caramanchão.
No caramanchão vou botar uma cadeira, uma poltrona com apoios para os braços. O caramanchão estará coberto de trepadeiras, e quando papai voltar do trabalho será bom ele ficar confortavelmente sentado à sombra. Ele vai botar os óculos e vai ler o jornal.
E mamãe? Mamãe vai ter galinhas. E haverá um pombal, em cima de um tronco alto, para nenhum gato ou outro malandro fazer estragos.
E haverá coelhos, também.
Terei uma gralha e tentarei ensiná-la a falar. Terei um pônei e três cachorros.
Às vezes quero ter três cachorros, outras vezes quatro. Já sei até como eles vão se chamar. Mas vamos ficar com três: um cachorro

para cada um de nós. O meu vai se chamar Joli, mas deixe mamãe e papai dar aos outros os nomes que eles quiserem.

Para mamãe, um pequeno cachorrinho, bem doméstico. Mas se ela preferir um gato, tudo bem. Ou então um cachorro e um gato. Acabarão se dando bem, e comendo na mesma cumbuca. Para o cachorrinho, uma fita vermelha; para o gato, azul.

Cheguei a perguntar um dia:
— Mãe, fita vermelha fica melhor num cachorro ou num gato?
E ela disse:
— Você rasgou a calça outra vez.
Ao papai, perguntei:
— Todo velhinho precisa de um banquinho embaixo dos pés quando fica sentado?
Papai disse:
— Todo aluno deve tirar boas notas, e não deve ficar de castigo.
Então deixei de perguntar. Passei a deduzir as coisas sozinho.

Que tal uns cães de caça? Vou caçar, trarei a caça para casa, darei para mamãe. Caçarei até um javali, claro que não sozinho, mas com meus amigos. Meus amigos estarão grandes, também.

Tomaremos banho no rio. Fabricaremos uma canoa. Se meus pais quiserem, os levarei para passear.

Terei uma porção de pombos. Escreverei cartas e mandarei os pombos entregá-las. Meus pombos serão pombos-correio.

A mesma coisa para as vacas. Um dia acho que uma será suficiente, outro dia penso que precisarei de duas.

Quando tivermos as vacas, haverá leite, manteiga, queijo. E as galinhas botarão ovos.

Depois teremos colmeias. Abelhas e mel. Mamãe fará conservas de ameixa para servir às visitas durante todo o inverno, e preparará diversas geleias.

Haverá uma floresta. Passarei um dia inteiro na floresta. Levarei comigo tudo que for preciso para passar o dia. Catarei framboesas, morangos silvestres e depois cogumelos. Deixaremos secar os cogumelos para poder conservá-los.

Cortarei muita, muita lenha, para atravessar o inverno. Assim não sentiremos frio.

Vamos cavar um poço bem fundo, até achar uma água limpa, cristalina. Mas será também preciso comprar muitas coisas: sapatos, roupas. O pai já estará velho, não poderá ganhar muito dinheiro. Mas eu poderei, sim, senhor.

Atrelarei um cavalo e levarei para a feira frutas, verduras, tudo que estiver sobrando. Em compensação, vou comprar tudo de que a gente precisar. Vou barganhar bastante, para poder comprar barato.

Ou então vou encher cestas e mais cestas com maçãs, e pegarei um navio para visitar países longínquos. Nos países quentes existem figos, tâmaras, laranjas em tal quantidade que o povo já nem acha graça. Eles comprarão minhas maçãs. E eu comprarei as frutas deles. Além disso, comprarei um papagaio, um macaco e um canário.

Acabo sem saber se eu acreditava mesmo nisso tudo. Mas era agradável arrumar as coisas na cabeça desse modo.

Às vezes eu chegava até a saber a cor do cavalo: se seria baio ou tordilho. Mas acontecia de eu ver um cavalo qualquer e pensar: "É um assim que eu vou querer, quando ficar grande". E logo depois via um outro e pensava: "Não, este aqui será melhor". Ou então: "Deixe-me ficar com os dois — este e aquele".

Ou então fico pensando em outras coisas.

Fico imaginando que sou um professor. Reúno uma porção de pessoas e digo:

— É preciso construir uma boa escola. Uma que não seja apertada, para a gente não precisar se empurrar, pisar um no outro, esbarrar.

As crianças chegam à escola e eu pergunto:

— Adivinhem o que vamos fazer?

Um responde:

— Vamos fazer uma excursão.

Outro diz:
— Vai ter projeção de filmes.
Falam isso, falam aquilo.
E eu:
— Não, não. Tudo isso vamos ter também, mas além disso teremos coisa mais importante.
E só quando se tiverem acalmado anunciarei:
— Vou construir uma escola para vocês.
Invento, então, diversos obstáculos. Por exemplo: a escola, já quase pronta, desaba ou pega fogo. É preciso começar tudo de novo, mas, só para chatear, construo uma que será melhor ainda.
Sempre imaginei tudo com obstáculos. Quando viajo de navio, há uma tempestade. Se sou um chefe guerreiro, começo sofrendo derrotas e só no final conquisto a vitória.
Porque, quando tudo sai bem desde o início, a coisa fica chata. Mas então ao lado da escola há uma pista de patinação. Temos quadros, mapas, instrumentos, aparelhos de ginástica, animais empalhados.
Chegam as férias, mas na porta da escola reúnem-se meninos e meninas que gritam:
— Deixem a gente entrar! Não queremos férias, queremos ir à escola!
O bedel fica discutindo com eles, mas não adianta. E eu fico na minha sala, não sei de nada, porque estou preenchendo uns papéis. Mas eis que chega o bedel. Ele bate na porta, e eu digo:
— Pode entrar.
E ele:
— Senhor diretor, as crianças se rebelaram, não querem férias.
Respondo:
— Não se preocupe, vou logo acalmá-las.
Chego à porta. Estou sorrindo. Não estou zangado. Explico:
— Férias são férias. Os professores precisam descansar. Porque quando estão cansados ficam irritados e gritam com as crianças.

Conversa vai, conversa vem, concluímos: eles podem vir brincar no pátio, mas terão de prometer que não haverá bagunça.

Eu costumava pensar de diversas maneiras sobre o que faria quando crescesse.

Ora penso ficar só com papai e mamãe; ora me vejo casado, para ter o meu próprio lar.

Fico com pena de me separar dos meus pais; então, moraremos em apartamentos vizinhos. De um lado da escada os pais, do outro eu e minha mulher. Ou quem sabe é melhor termos duas casinhas, uma perto da outra. Porque as pessoas de idade gostam de calma.

Quando se deitam depois do almoço, não gostam de ser incomodadas pelas crianças. E as crianças gostam de correr, pular, chutar, gritar, fazer alvoroço.

Tenho problema com os meus filhos, porque não sei se devo ter só meninos ou também uma menina. Se é melhor o menino ser o mais velho, ou a menina.

Minha mulher poderia ser como minha mãe; mas os filhos, não sei. Devo querer que eles sejam bagunceiros ou calmos? E o que devo permitir que façam? Claro que não devem tocar em coisa alheia, nem fumar, nem dizer palavrão, nem bater nos outros, nem brigar demais.

Mas se um dia eles baterem um no outro, ou se recusarem a obedecer, ou quebrarem um objeto de valor, o que deverei fazer?

Será que os quero já quase adolescentes ou bem pequeninos? Fico pensando em muitas coisas.

Algumas vezes quero ser alto que nem Miguel, outras vezes prefiro ser do tamanho do tio Renato, outras vezes do tamanho do papai.

Um dia quero ficar adulto para sempre, outro dia só para experimentar. Porque no início poderá parecer agradável, mas depois — quem sabe — vou querer ficar pequeno outra vez?

E pensei, pensei; tanto pensei que acabei me tornando adulto de verdade. Agora já tenho um relógio, bigodes, escrivaninha com gavetas, enfim, tudo que os adultos têm. Sou um professor, também de verdade. E não estou satisfeito.

Não estou nada satisfeito.

As crianças não prestam atenção nas aulas, preciso me zangar o tempo todo. Tenho uma porção de aborrecimentos de toda espécie. Não tenho mais pai nem mãe.

Tudo bem: agora vou começar a pensar ao contrário.

"O que é que eu faria se voltasse a ser criança? Não um bebezinho, mas um garoto que fosse à escola, que brincasse com outros garotos. Se eu acordasse de repente e verificasse: o que foi que aconteceu? Será que estou sonhando ou é para valer?"

Olho para as minhas mãos, fico estranhando. Olho para a minha roupa, a mesma coisa. Pulo da cama, corro para o espelho. O que foi que aconteceu?

E mamãe perguntando: "Já se levantou? Vá se vestir depressa, para não chegar atrasado na escola".

Se fosse criança de novo, gostaria de me lembrar, de saber, de ser capaz de tudo que agora sei e de que agora sou capaz. E que ninguém suspeitasse de que já fui grande um dia. Me faria de desentendido. Fingiria que sou um menino igual a todos, que tenho pai e mãe, que vou à escola. Assim seria mais interessante e melhor. Ficaria só observando e acharia engraçado ninguém estar me reconhecendo.

Um dia, então, estou deitado na cama, acordado, e fico pensando: "Se soubesse naquela época, nunca teria feito força para crescer. Ser criança é mil vezes melhor. Os adultos são infelizes. Não é verdade que eles podem fazer o que querem. Têm até menos liberdade do que as crianças. Têm pesadas responsabilidades. Têm mais aborrecimentos. É mais raro terem pensamentos alegres. É verdade que nós, os adultos, não choramos mais; deve ser porque não vale mais a pena chorar. Em vez disso, suspiramos fundo".

E suspirei.

Suspirei fundo, o mais fundo que pude: o que é que se vai fazer — está tudo perdido. Não adianta. Nunca mais serei criança. Ficar triste não levará a nada.

Mas, no que suspirei, escureceu de repente. Breu completo. Não enxergo nada. Só uma espécie de fumaça. Até faz cócegas no nariz.

A porta range. Levo um susto. Aparece uma luzinha. Como se fosse uma pequena estrela.

— Quem é?

A estrelinha vai flutuando no escuro, está cada vez mais perto. Já está ao lado da cama; agora, em cima do travesseiro.

O que será? É uma minúscula lanterna. Um homenzinho está em pé bem em cima do meu travesseiro. Na cabeça, um chapéu alto e vermelho. Barba branca. Bem, é um gnomo. Do tamanho de um dedo.

— Aqui estou.

Sorri e fica parado.

Eu devolvo o sorriso. Devo estar sonhando. Acontece às vezes de um adulto sonhar um sonho de criança — nem sabe de onde um sonho desses saiu.

O gnomo diz:

— Você me chamou, aqui estou. O que quer? Estou com pressa.

Ele não fala propriamente: pia que nem um passarinho. E bem baixo, baixinho. Mas eu ouço e entendo.

— Você me chamou, diz ele, e agora não quer acreditar.

Começa a agitar a lanterna: para a direita, para a esquerda, para a direita, para a esquerda.

— Você não acredita. Antigamente as pessoas se ocupavam de magia. Agora só crianças acreditam em feiticeiros, gnomos e fadas.

Balança a lanterna e sacode a cabeça. E eu nem tenho coragem de me mexer.

— Diga um desejo qualquer. Tente. Que mal pode fazer?

Abro a boca para perguntar alguma coisa, mas ele já adivinhou; já sabe.

— Você me chamou com um Suspiro de Saudade. As pessoas pensam que só as palavras são mágicas. Mas não é verdade, não é, não é!

Sacode a cabeça, dizendo que não. Pula de um pé para outro. É bem engraçado. E a lanterna para a direita, para a esquerda. E eu sinto que estou adormecendo. Abro os olhos bem abertos, para não dormir. Porque seria uma pena.

— Mas olhe só — diz o gnomo. — Olhe só como você é teimoso. Ande rápido, senão vou-me embora. Não posso ficar muito tempo. Depois você vai se arrepender.

Eu bem que quero dizer um desejo, mas não consigo. Quem sabe as coisas são assim neste mundo: quando a gente quer vagamente dizer algo, é fácil falar, mas quando quer muito, fica difícil.

Percebo que o gnomo está chateado. Fico com pena dele. Mas não consigo.

— Bem, fique em paz. É uma lástima.

Está indo embora. Então só agora consigo dizer, baixinho e rápido:

— Quero voltar a ser criança.

Voltou — deu uma espécie de meia volta, volver — e jogou a luz da lanterna bem dentro dos meus olhos. E falou alguma coisa, mas não ouvi. Não sei como ele saiu. Mas quando acordei de manhã, estava lembrado de tudo.

Olho com curiosidade ao redor. Não foi sonho, não.

É verdade.

Primeiro dia

Não digo a ninguém que já fui adulto: finjo que sempre fui menino e fico esperando para ver em que é que dá. É tudo esquisito e engraçado. Fico olhando e esperando.

Espero mamãe cortar pão para mim, como se não soubesse fazê-lo sozinho. Mamãe pergunta se já fiz os deveres. Respondo que fiz, mas para dizer a verdade nem sei.

É tudo como na história da Bela Adormecida, quem sabe até pior. A Bela Adormecida ficou dormindo cem anos, mas todos os outros ficaram dormindo também, e acordaram junto com ela: os cozinheiros, as moscas, todos os empregados e até o fogo na chaminé. E acordaram do mesmo jeito como tinham sido antes. Eu acordei completamente diferente.

Olhei para o relógio, mas logo virei a cara, para não me trair. Quem sabe aquele garoto não sabe ler a hora?

Estou curioso de ver como as coisas serão na escola, que tipo de colegas vou ter. Será que vão reparar? Ou pensarão que estou indo à escola há muito tempo? O estranho é que sei para que escola devo ir, em que rua fica. Sei até que a nossa sala fica no primeiro andar, e a minha carteira é a quarta, perto da janela. E o meu vizinho é o Gilberto.

Lá vou eu, marchando. Agitando os braços. Sinto-me leve, descansado. Bem diferente de quando era professor. Olho para todos os lados. Bato com a mão numa placa de ferro. Nem sei por que fiz isso. Faz frio, tão frio que sai vapor da minha boca. Solto um bafo quente, para fazer mais vapor. Passa-me pela cabeça que eu poderia apitar que nem locomotiva, soltar vapor e correr em vez de caminhar. Mas estou com vergonha. Vergonha por que, puxa? Então não queria ser criança justamente para me sentir alegre?

Mas não pode ser assim logo de saída. Primeiro tenho de olhar bem para as coisas e depois, com o tempo...

Vão passando garotos, garotas, todos estudantes; vão passando adultos também. Fico olhando para ver quem é mais alegre. Acho-os todos calmos, os adultos e os estudantes. É claro: na rua não dá para fazer bagunça. E também ainda não se animaram, tão cedo de manhã. Comigo é diferente: é o meu primeiro dia de criança, então me sinto alegre.

Mas meio esquisito também. Como se estivesse com vergonha de alguma coisa.

Não faz mal. No primeiro dia deve ser assim. Depois me acostumo. De repente, vejo uma carreta grande. O cavalo não aguenta puxá-la.

Deve estar mal ferrado, porque suas patas escorregam. Alguns garotos param e ficam olhando. Eu paro também.

"Será que ele aguenta sair ou não aguenta?"

Esfrego as orelhas, bato com os pés no chão, porque o frio aperta; fico torcendo para que o cavalo puxe logo a carreta, para que tudo acabe. Mas estou com pena de ir embora antes de ver o que acontece. É interessante, sempre: quem sabe o cavalo cai — então, o que é que o cocheiro vai fazer? Se eu fosse adulto, passaria indiferente, é provável que nem repararia em nada. Mas como sou um menino, fico interessado.

Observo como os adultos nos afastam do caminho, porque estamos atrapalhando. E por que estão com essa pressa toda?

Tudo bem. A carreta saiu finalmente, e eu chego à escola.

Penduro o sobretudo no lugar destinado à minha turma. O pessoal está conversando sobre o rio, uns dizem que congelou.

— Foi. Foi esta noite.

Outro diz que é mentira. Ficam brigando. Não é bem brigando, mas discutindo.

Um diz:

(Quando eu voltar a ser criança)

— Veja só! A primeira geada e ele já quer que o rio esteja congelado. Deve ter uns pedaços de gelo flutuando.
— Que flutuando, que nada.
— Está enchendo, ouviu?
Aparecem mais alguns. Um adulto certamente diria que estão discutindo. É verdade que um diz: "Você é bobo", e outro: "Imbecil". Do rio passaram para a neve. Vai ter, não vai ter? Um diz que quando a fumaça, saindo da chaminé, sobe reto para cima, quer dizer que não vai nevar. Parece também que pelo voo dos pássaros dá para prever se vai ter neve ou não. Um outro ainda diz que viu no barômetro.
E de novo:
— Débil mental!
— E você, o que é?
— Está mentindo!
— E você, não mente?
Nem todos participam da discussão. Alguns ficam parados, não dizem nada, só ouvem.
Eu também fico ouvindo e lembro que os adultos no bar também discutem muitas vezes — não a respeito da neve, mas da política. É igualzinho. Falam mesmo igual:
— Vamos apostar que o presidente não aceitará a demissão?
E aqui:
— Vamos apostar que não vai nevar?
Não dizem "Imbecil", "Está mentindo!", essas coisas; discutem mais delicadamente, mas também fazem barulho.
Estou assim, parado, quando irrompe Cosme.
— Vem cá, você fez os problemas? Me empresta para eu copiar. Ontem teve visita lá em casa. E a professora é capaz de querer verificar.
Eu nem me abalo: abro a pasta e dou uma olhada para ver o que acontece dentro do meu caderno. Como se não fosse coisa minha, mas daquele garoto que ontem fez os deveres em meu lugar.
Nisso, bate o sinal. Ele nem espera eu dar a autorização, pega o caderno e corre para a sua carteira. Passa-me pela cabeça que, se ele

───(Janusz Korczak)───

copiar idêntico, a professora pode perceber e pensar que quem colou fui eu. E aí me põe de castigo.
    Acho engraçada a ideia de ser posto de castigo. Então, Vítor pergunta:
— De que é que está rindo?
— Me lembrei de uma coisa — digo, e continuo rindo.
E ele:
— É bobo. Fica rindo e nem sabe de quê.
Eu respondo:
— Bobo coisa nenhuma. Bobo é você. Quem sabe eu sei de que estou rindo, mas não quero contar?
E ele:
— Olhem só, olhem só, o grande misterioso.
E vai embora, ofendido.
    Fico admirado de ver que estou sabendo como eles se chamam, pois que os vejo pela primeira vez, e eles também nunca me viram. É igualzinho como num sonho.
    Aí então entra a professora, e nada de Cosme devolver o caderno. Chamo baixinho: "Cosme, Cosme!", mas ele não ouve, ou faz de conta que não ouve. E a professora fala comigo:
— Está agitado por quê? Fique sentado, quietinho.
    Penso comigo: "Pronto, ganhei a primeira reprimenda da professora".
    E fico sentado, mas inquieto, porque estou sem o caderno.
    Escondo-me atrás do colega que está na minha frente; espero para ver o que acontece.
    Estou com medo. É desagradável ter medo. Se fosse adulto, não teria medo. Ninguém estaria colando os meus exercícios. Mas já que sou aluno e que um colega pediu, claro que não pude negar. Ele diria logo que sou um inútil, um egoísta. Me chamaria de puxa-saco, que quer ser o único a receber os elogios da professora por ter feito corretamente a tarefa de casa.
    É provável que eu venha a ser o melhor aluno, porque já me formei uma vez. Devo ter esquecido algumas coisas, mas recordar do que se esqueceu é bem mais fácil que aprender tudo de novo.

(Quando eu voltar a ser criança)

A professora está ensinando gramática, regras que já conheço há muito. Ela manda escrever — num piscar de olhos escrevo tudo. Fico parado. Ela repara que estou sem fazer nada e pergunta:

— Por que não está escrevendo?

Respondo:

— Já acabei tudo, professora.

— Deixe ver o que foi que você escreveu — diz a professora; e me parece que está meio impaciente.

Eu também não gosto quando isso acontece: dou aos meus alunos uma tarefa que deve ocupar uma aula inteira e eles terminam antes. O professor dá a tarefa e quer ficar sossegado até bater o sinal, mas eles fazem correndo e depois ficam conversando.

Vou até a mesa da professora e mostro o que fiz.

— Sim, está bem; mas tem um erro.

— Onde? — pergunto, fingindo surpresa.

Fiz o erro de propósito, para a professora não desconfiar que já terminei a escola.

Ela diz:

— Procure você mesmo. Se não estivesse tão apressado, teria feito tudo sem erro nenhum.

Volto para o meu lugar e faço de conta que estou procurando o erro, que estou muito ocupado. De agora em diante, vou ter de fazer tudo bem devagar, mas só no início. Depois, quando me firmar como o melhor aluno da turma, os professores se acostumarão à ideia de que sou tão talentoso.

Mas começo a ficar entediado. E a professora pergunta:

— Como é, achou o erro?

— Achei — digo.

— Deixe-me ver.

Ela olha e aprova: "Está correto". E o sinal bate.

Quando o sinal bate é que começa o intervalo. O recreio, como eles dizem. O inspetor nos expulsa da sala e abre as janelas.

E eu, o que faço? Acho esquisito apostar corrida com os garotos. Mas procuro fazer a mesma coisa que todos.

Puxa, que coisa gostosa, agradável! Há quanto tempo eu não corria!

Quando eu era jovem, podia não apostar corrida, mas me acontecia correr atrás do bonde ou do trem. Outras vezes brincava com crianças na casa de amigos. As crianças corriam e eu fazia de conta que queria pegá-las. Bem, isso quando eu era jovem. Depois, não tinha mais pressa em apanhar o bonde. Se um foi embora, tudo bem: esperarei pelo outro. E, quando brincava com uma criança, não corria mais do que uns poucos passos, e aí batia com o pé no chão para assustá-la. O garoto fugia e olhava para mim de longe. Ou então dava uma grande volta correndo, e eu só girava sem sair do lugar, como se estivesse me preparando para persegui-lo. Ele pensando que eu, sendo adulto, podia pegá-lo quando quisesse. Mas eu não podia. Claro que força eu tinha, mas o coração disparava logo e o fôlego me faltava. E, quando tinha de subir escadas, subia bem devagar; sendo que quando eram vários lances, dava uma paradinha no meio do caminho.

Já agora é tudo diferente.

Corro a jato, o ar faz um zumbido nos meus ouvidos, bate no meu rosto. Fico suado, mas não faz mal. Acabo dando um pulo de alegria e soltando um berro:

— Oooopa! Como é bom ser criança!

Aí me assusto e olho em volta, para ver se alguém me ouviu; porque me vendo tão contente poderia pensar, quem sabe, que eu nem sempre fui criança.

Corro; tudo dança na minha frente. Fico cansado, é verdade. Mas basta dar uma paradinha, respirar fundo algumas vezes e já posso recomeçar, já descansei. Vamos outra vez!

É tão bom ser capaz de correr de novo, e não mais caminhar fazendo ploct-ploct, passo após passo.

Meu bom gnomo, como lhe sou grato!

Correr, para nós, é como andar a cavalo, galopando, competindo com o vento. Não se sabe nada, não se pensa, não se lembra de nada, nada se vê — apenas se sente a vida, uma vida plena.

(Quando eu voltar a ser criança)

Sinto que o ar está dentro de mim e em torno de mim. Perseguindo ou fugindo, tanto faz. Mais depressa! Caí. Machuquei o joelho. Doeu um pouco. O sinal bateu. Que pena! Se pudesse mais um pouquinho... Só mais um minuto...
— Quem corre mais rápido: você ou eu?
A perna não está mais doendo. De novo o vento bate nos olhos, na cara, nos pulmões. De novo galopo sem pensar, só querendo uma coisa, ser o primeiro. Evito milagrosamente esbarrar nos outros garotos, supero obstáculos. Atravesso o portão, me apoio no corrimão, voo escada acima. Não viro para trás, mas sinto que deixei o adversário longe. Ganhei.

E, no corredor estreito, com todo o impulso da corrida, esbarro no diretor. Quase o derrubo no chão.

Vi o diretor parado ali, mas simplesmente não tive tempo de frear. O mesmo deve acontecer com os maquinistas, os motoristas, os motorneiros. Entendo agora que eles são acusados injustamente. Um desastre, um infortúnio — mas sem culpa. É provável, também, que eu esteja destreinado. Tantos anos já se passaram, meu Deus, tantos anos! Eu poderia me meter no meio dos outros meninos que vinham correndo. Mas é o meu primeiro dia de escola, só agora há pouco voltei a ser aluno.

Então, fico parado feito idiota. Nem sequer peço desculpas. O diretor me pega pela gola e me sacode com tanta força que minha cabeça balança. Está com uma raiva que nunca vi.

— Como você se chama, moleque?

Estou apavorado. Meu coração bate, não consigo articular uma palavra. Ele sabe perfeitamente que não foi de propósito; deveria perdoar. Mas também, que ideia dar uma trombada no diretor com tanto ímpeto. Ele poderia cair, se machucar. Quero dizer alguma coisa, mas estou tremendo, minha língua parece um pedaço de pau.

Ele me sacode outra vez e grita:

— Vai responder, sim ou não? Quero saber o seu nome!

Junta gente em volta. Ficam olhando. E eu com vergonha do pessoal. Aparece a professora, manda os garotos entrarem na sala de aula. Agora fico sozinho. Baixo a cabeça, que nem um criminoso.

— Vamos à minha sala.
Falo baixinho:
— Com licença, senhor diretor, quero explicar...
Mas o diretor não quer conversa:
— Agora você quer me contar uma história? E quando perguntei pelo seu nome, por que não respondeu logo?
E eu:
— Porque estava com vergonha do pessoal todo que estava parado, assistindo.
— E de correr feito louco, não tem vergonha? Volte amanhã, com a sua mãe.
Começo a chorar. As lágrimas caem sozinhas. Que nem grãos de feijão. Uma sensação de umidade dentro do nariz.
O diretor olha para mim, pelo jeito está ficando com pena.
— Está vendo? Não é bom fazer tanta bagunça, porque depois vem o choro.
Percebo que, se pedisse desculpas agora, ele daria o caso por encerrado. Mas fico com vergonha de pedir desculpas. Quero dizer: "Senhor diretor, me dê outro castigo, para que incomodar a minha mãe?" Mas não consigo, as lágrimas não deixam.
— Bom, vá para a sua sala, a aula já começou.
Cumprimento-o e vou embora. Outra vez todos olham para mim. A professora olha. E Mário me cutuca por trás:
— Então, o que é que houve?
Não respondo, mas ele insiste:
— O que foi que ele disse?
Estou irritado. Por que chateia se não é com ele? A professora intervém:
— Mário, por favor, não quero conversas.
Pelo jeito, ela também quer que me deixem em paz. Ela vê que estou triste, então não vai me perguntar nada até o fim da aula.
Fico sentado, pensando. Tenho muito em que pensar. Penso, não escuto nada, nem de que é que estão falando. É aula de matemática. Os garotos, um atrás do outro, vão à lousa, escrevem, apagam. A

professora pega o giz, fala alguma coisa, explica. E eu pior do que surdo. Porque não ouço nem sequer enxergo. E nem mesmo finjo que estou acompanhando. A professora poderia perceber logo que não estou prestando atenção. Deve ser bem camarada, porque uma outra qualquer, só para chatear, me teria interrogado. Agora entendo o que acontece com as crianças: quando alguma coisa fracassa, logo falha também isso e aquilo, e mais aquilo outro. Imediatamente a gente perde a confiança em si mesmo. Mas deveria ser bem diferente: quando um berra com a gente, outro deveria elogiar, encorajar, consolar. E será que é preciso berrar? Sei lá. Talvez seja, talvez não.

E eu, como agia quando era professor? Uma vez de uma maneira, outra vez de outra. Bem, esbarrei no diretor e logo ele me pegou pela gola. Mas também, que mais podia fazer? Ficou irritado, depois se acalmou. Será que me perdoou? O que ele disse foi:

— Vá para a sua sala.

Fiquei sem saber se preciso voltar amanhã com mamãe ou não.

E penso comigo mesmo: "Só algumas horas se passaram desde que voltei a ser criança e já vivi tantas experiências. Por duas vezes senti medo: uma vez quando o colega ficou com o meu caderno; foi bem desagradável; outra vez, no incidente com o diretor. E a coisa não acabou ainda, e eu nem sei o que fazer".

Senti vergonha, também, quando me seguraram pela gola, como se fosse um ladrão. A um adulto ninguém segura assim, ninguém o sacode quando ele inadvertidamente esbarra em alguém. É verdade que os adultos caminham com cuidado, mas também lhes acontece.

Por outro lado, as crianças têm direito de correr. E, se têm esse direito, quem teria de tomar mais cuidado: eu, um menino, ou ele, um experiente educador?

É estranho que isso nunca me tenha passado pela cabeça quando era adulto.

Só faz algumas horas que sou criança e já tive que chorar. Não chorei muito tempo, mas chorei. E agora, mesmo com os olhos já secos, tenho muita mágoa no coração.

E não acabou ainda. Pois não é que caí? Rasguei a meia, e vejo que esfolei o joelho. Não chegou a sangrar, mas está doendo. Não dói propriamente, mas incomoda. Não senti antes, mas agora que estou sentado, sem me mexer, chateado...

Só estou na escola há duas horas e já fui chamado à atenção pela professora, para não ficar zanzando, para ficar quieto no meu lugar. E o que aconteceria se ela soubesse que deixei alguém copiar os meus exercícios? O que aconteceria se ela agora dissesse: "Repita o que acabei de explicar?"

Não estou prestando atenção. Reconheço que não estou. E na aula não basta ficar sentado quieto, é preciso escutar, saber o que está acontecendo.

Portanto, sou um fingido, um tonto, um distraído — e tudo isso porque sou criança outra vez. Se as coisas são assim, talvez teria sido melhor continuar adulto?

E fiquei com pena do cavalo, que não conseguia arrastar a carreta porque estava mal ferrado, e a carreta era pesada, e as patas escorregavam no gelo.

Depois de pensar um pouco no cavalo, volto aos meus problemas: "Será que me sentia mais feliz quando era adulto? Quem sabe o diretor me perdoou? De agora em diante, andarei com cuidado no corredor. Será que vai mesmo nevar de noite? E tenho tanta saudade da neve como se ela fosse minha irmã".

Aí olho pela janela, a ventania fez tapar o sol. Não lembro mais se eles finalmente chegaram a apostar se vai ou não nevar. Mas lembro que nos Estados Unidos também os adultos gostam de fazer apostas a propósito de qualquer coisa.

Na verdade, talvez as crianças não sejam tão diferentes assim dos adultos, só que levam uma vida diferente e têm direitos diferentes.

Atrás da janela passa uma nuvem grande e negra. E pela minha cabeça passa o seguinte: "A criança é que nem primavera. Ou tem sol, tempo bom, tudo é alegre e bonito. Ou, de repente, vem tempestade, relâmpagos, trovões, raios que caem. Já o adulto é como se estivesse dentro do nevoeiro. Envolto numa triste névoa. Não tem grandes alegrias nem grandes tristezas. Tudo cinzento e sério. Pois não é que me lembro. Nossas alegrias e tristezas correm que nem o vento, e as deles vivem se arrastando. Pois não é que me lembro".

Essa comparação me agrada. Assim sendo, mesmo que pudesse mudar de novo, preferiria experimentar mais um pouco.

Então, me senti calmo e satisfeito. Calmo como quando a gente vai passear pelo campo de noitinha e a brisa nos acaricia suavemente o rosto, como se fosse a mão de alguém. E no céu há estrelas. E tudo está adormecido. E só existe o perfume do campo e da floresta.

A aula passou num instante. Se eu voltar a ser professor, nunca mais interrogarei um aluno que esteja com desgosto. Vamos deixá-lo pensar, acalmar-se, descansar.

Tive até um sobressalto quando o sinal bateu. E logo o pessoal começa a chatear:

— Por que você estava chorando? O que foi que o diretor falou?

Os adultos mandam a gente não brigar. Pensam que brigamos por prazer. É verdade que existem uns aventureiros agressivos, que provocam os mais fracos. Nós os evitamos, passamos ao largo. Mas isso só os faz desembestar mais. Quando passam da medida, temos de lhes dar uma lição. Felizmente, não são muitos. Eles são um veneno, são a nossa maldição. E é engraçado que os adultos nos acusam a todos justamente por causa desses poucos. Não sabem o que é um intrometido chato, que leva o mais doce indivíduo à raiva ou ao desespero.

Bem, tenho um desgosto. Mas cada um poderia adivinhar o que foi que o diretor me disse quando quase o derrubei no chão. Então, por que perguntar:

— O que houve? Como foi?

E se fosse um só... Mas não. Você se livrou de um aparece outro, e tudo começa de novo. E eles veem que você não está a fim de conversar. Não o conheço, mal falei com ele uma vez e ele já indaga:

— Você trombou com o diretor. Será que ele mandou você voltar com a sua mãe?

Não nos deixam ficar em paz com a nossa tristeza. Continuam insistindo até a nossa tristeza se transformar em irritação.

Respondo calmamente ao primeiro. Ao segundo, já com impaciência:

— Me deixe em paz, por favor.

Ao terceiro:

— Vá embora!

O quarto já leva um empurrão.

Quem se aproxima agora é Vítor. Já de manhã me havia chamado de misterioso e bobo. Mas agora quer que eu conte tudo.

— Então, como foi? Você chorou por quê? Levou uma boa descompostura? Devia ter dito que alguém o empurrou.

— Minta você, se gosta disso — respondo.

E logo me arrependo.

— Olhem só como é honesto! Atenção, pessoal: achei um sujeito que só diz a verdade!

Procuro me afastar, mas ele me detém.

— Espere. Está com muita pressa?

Não me deixa ir embora, me segue, me cutuca. Finalmente, empurro-o. Mas ele insiste:

— Vê se não empurra, porque a escola não é sua. Está pensando o quê? Só porque ganhou um elogio da professora, ou porque fez só um erro, acha que pode agredir os outros?

A princípio nem entendi o que ele estava dizendo. Só depois é que compreendi.

Quase alcancei a porta, mas ele não deixa:

— Nenezinho! O nenezinho chorou! A mocinha chorou! — E estende a mão suja na direção do meu rosto.

Faço um gesto para afastar a mão suja. Acontece que o desgraçado é forte. Mas estou tão irritado que nada importa: que aconteça o que tem de acontecer. Se tivermos de partir para a briga, ele também vai apanhar um pouco.

Mas me pergunto o que diria o diretor se por acaso passasse por ali e visse a briga. Naturalmente, o culpado sou eu. Já aprontei uma boa

antes, e agora de novo. Ficará de marcação comigo. Qualquer coisa que aconteça no futuro, eu serei o suspeito. Porque sou um moleque:
— Já o conheço. Não é a primeira vez.
Pois quando eu era professor dizia a mesma coisa.
Felizmente, a professora entra na sala, para verificar se todos os alunos saíram.
— Vamos saindo, meninos. Vamos esticar as pernas um pouco.
E o sem-vergonha ainda faz uma queixa:
— Professora, eu quis sair, mas ele não me deixou.
Senti tanto nojo que tive vontade de cuspir.
— Está bem; vão andando, vão andando.
Ele piscou o olho, fez uma careta com a boca e foi caminhando de pernas bem abertas, que nem um palhaço; e eu atrás.
Não vou para o pátio, prefiro esperar o fim do recreio. Mundinho se aproxima. Olha para mim e fala baixinho:
— Não quer sair para brincar um pouco?
— Não.
Fica parado, me observando. Será que não quero conversar com ele? Aí já é outra coisa. Conto-lhe o que aconteceu, tintim por tintim.
— Estou sem saber se o diretor me perdoou.
Depois de pensar um pouco, ele diz:
— Você deve perguntar. Quando o cara falou, estava irritado. Dá um pulo na secretaria, pergunta. É capaz de ter esquecido.
Depois há aula de desenho.
A professora manda desenhar o que a gente quiser: uma folha de árvore, uma paisagem de inverno ou qualquer outra coisa.
Pego o meu lápis; mas o que é que vou desenhar?
Nunca aprendi a desenhar. Mesmo quando adulto desenhava mal. No meu tempo, as escolas não eram muito boas. Tudo era severo e monótono. Nada era permitido. Uma escola tão inóspita, fria e sufocante que quando me acontecia, mais tarde, de sonhar com ela, eu acordava sempre suado — e feliz em ver que tinha sido um sonho, e não realidade.

— Não começou ainda? — pergunta a professora.
— Estou pensando em como começar.
A professora de desenho tem cabelos claros e um sorriso simpático. Olha-me bem nos olhos e diz:
— Pense então com calma. Quem sabe você inventa uma coisa bonita?
Eu mesmo não sei por que falei:
— Vou desenhar uma escola como era antigamente.
— Mas como você sabe como era?
— Meu pai me contou.
É evidente que tive de mentir.
— Ótimo — diz a professora. — É uma ideia bem interessante.
Fico pensando: "Será que vou conseguir? É verdade que os outros meninos também não devem ser grande coisa como pintores".
Desenho mal, mas não tem importância; no máximo vão rir um pouco. Que riam à vontade.
Existem quadros que se compõem de três partes: um quadro no centro, e dois dos lados. Diferentes um do outro, mas compõem um todo. Um quadro como esse chama-se tríptico.
Dividi a página em três partes. No centro desenhei o recreio. Os garotos brincam de correr, e um deve ter aprontado algo, porque o professor o puxa pela orelha; ele procura se livrar e chora. Mas o professor o segura firme pela orelha, e com uma espécie de chicote lhe fustiga as costas. O garoto levantou uma perna bem alto, como se estivesse pendurado no ar. Os outros observam, de cabeça baixa. Não dizem nada, porque estão com medo.
Era isso o que estava no centro.
Do lado direito desenhei a sala de aula: o professor batendo com a régua nas mãos de um aluno. Só um puxa-saco na primeira fila fica rindo; os outros estão com pena.
À esquerda, uma surra de verdade. O aluno está estendido no banco, um bedel o segura pelas pernas. E o professor de caligrafia, barbudo, está de braço levantado, com o chicote na mão. Há pouca

luz, como se fosse uma paisagem de prisão. Resolvi fazer um fundo bem escuro.

Em cima escrevi: "Tríptico — Escola Antiga".

Quando tinha 8 anos, era a essa escola que eu ia. Era a minha primeira escola primária; na época se chamava escola preparatória.

Lembro-me de uma surra que um colega levou. Foi o professor de caligrafia que o castigou. Só não sei mais se o professor se chamava Koch e o aluno Novak, ou se Koch era o aluno e Novak o professor.

Tive muito medo então. Parecia-me que, assim que acabassem com ele, chegaria a minha vez. E senti muita vergonha, porque o garoto foi castigado nu. Tiraram-lhe a roupa toda. E na frente da turma, no lugar da aula de caligrafia...

Desde então tive nojo do garoto e do professor; sempre que alguém gritava ou reclamava, eu esperava que a seguir viesse uma surra.

O tal de Koch ou Novak não era flor que se cheirasse. Quando chegou a vez dele de ser o encarregado de arrumação da sala, em vez de molhar a esponja na torneira, pegou-a e fez xixi em cima. E depois ainda se gabou, contou para todo mundo.

O professor entra, manda limpar a lousa, que está rabiscada. Ninguém quer limpar. Então ele, irritado, pega a esponja. Não sei se o pessoal começou a rir ou como é que foi, mas o fato é que acabaram contando. Daí a surra.

Eu era bem pequeno então, e não continuei nessa escola por muito tempo. Mas vejo tudo nitidamente, como se tivesse acontecido ontem. E sinto tudo igual. E vou desenhando, o lápis parece que se mexe sozinho. Fico até espantado.

A cabeça dos alunos sai bem pequenina, mas procuro fazer uma diferente da outra, para que se possa distinguir a expressão em cada rosto, e que cada figura seja também diferente: um apoiado na parede, outro parado em pé. Também desenhei a mim mesmo, mas não na primeira fila.

Desenho até as orelhas ficarem ardendo: sinto calor, como se estivesse correndo.

―(Janusz Korczak)―

Desenho com inspiração.
Como já fui adulto, sei o que significa inspiração. O poeta Mickiewicz* estava inspirado quando escrevia suas obras-primas. Os profetas faziam os seus sermões num estado de inspiração.
Inspiração quer dizer que um trabalho difícil de repente se torna fácil. Então, dá um prazer enorme desenhar, ou escrever, ou recortar, ou construir qualquer coisa. Tudo sai bem então, e a gente nem sabe de que maneira está fazendo. É como se outra pessoa estivesse trabalhando no meu lugar, e eu só olhando. E, quando termino, fico admirado, como se não fosse um trabalho meu. Cansado, mas contente por ter conseguido fazer coisa tão bem-feita.
E quando estou inspirado, nem sei o que acontece em volta.
Parece-me que as crianças muitas vezes trabalham inspiradas, só que os outros atrapalham.
Por exemplo: você está contando algo, ou lendo, ou escrevendo. O trabalho está indo bem. Ou você entendeu imediatamente a solução de um problema. Inclusive pode haver um erro qualquer, mas não chega a ser um erro, ou então só um errinho. Mas logo alguém interrompe, manda corrigir, repetir, acrescentar algo, ou faz questão de explicar alguma coisa. Está tudo perdido. Você se aborrece, perde a vontade, não consegue mais nada.
A inspiração é como se fosse conversa com Deus. Ninguém tem o direito de se intrometer. Porque preciso estar sozinho, preciso não ver nada, não ouvir nada.
É justamente o que ocorre agora. A professora está atrás de mim, observando o meu trabalho; eu nem percebo, fico só corrigindo. Acrescento mais uma linha, mais um pontinho, e o desenho está cada vez melhor.
Ela deve ter ficado parada ali muito tempo, só que não vi.

---

* Korczak se refere a Adam Bernard Mickiewicz (1798-1855), um dos maiores poetas da Polônia. [N. E.]

Agora olho o desenho à distância, acrescento mais alguma coisinha, mas com cuidado. Quando se corrige demais, pode-se estragar tudo. E estou cansado, também. Mas de repente senti. Levanto a cabeça, a professora sorri e põe a mão no meu rosto.

Não me agrada quando as pessoas me alisam ou me tocam. Mas a mão da professora é fresca e suave. Então, sorrio também.

E ela pergunta:

— Como você sabe que isto é um tríptico?

— Apenas sei. Já vi em ilustrações, em cartão-postal, na igreja.

Enrolo-me na resposta e fico cada vez mais vermelho. Mas agora ela pergunta:

— Dá licença?

Entrego-lhe o caderno e digo:

— Por favor.

Ela examina os desenhos mais antigos e esse último. Vítor pula da sua carteira, mete o nariz e declara:

— Um tríptico.

Fico com receio de ela começar a mostrar e elogiar o trabalho. Devia compreender que numa turma sempre aparece um invejoso ou um palhaço, que depois vai chatear, ridicularizar. E não é que ela entendeu? Mandou Vítor voltar para o lugar dele, e para mim só disse:

— Bem, agora descanse.

Fechou o caderno e o colocou cuidadosamente na minha frente, sobre a carteira. Com cuidado e equilíbrio.

Ocorreu-me logo que, se fosse professor outra vez, nunca jogaria os cadernos de qualquer jeito em cima das carteiras, nem riscaria com linhas grossas coisas que o aluno escreveu errado até a tinta espirrar. Eu os depositaria com cuidado e equilíbrio, como a professora fez agora.

Não descansei muito tempo, porque a aula acabou. E tenho de ir à secretaria. Mas o diretor está parado na porta, então eu paro também. E a professora também para. Fico por perto, esperando, sem saber o que dizer. O bedel se aproxima.

Por duas vezes começo a dizer: "Senhor diretor", mas sei que o diretor não escuta, porque falei baixo demais. É muito desagradável a gente precisar dizer alguma coisa e estar com vergonha de falar.

Eles ficam conversando sobre uns assuntos lá deles; não sei, não ouço nada. Mas o diretor de repente se dirige a mim:

— Dê um pulo na sala do quinto ano, pergunte se tem lá um globo terrestre. Vá correndo, ande!

Só então é que olha para mim e me reconhece, porque acrescenta:

— Mas sem esbarrar em ninguém pelo caminho, ouviu?

Chego esbaforido no quinto ano e sou recebido pelos garotos:

— Dá o fora, está querendo o quê?

— Tem um globo terrestre aqui?

— Vá embora, já disse.

E me empurram para fora. Estou com pressa, e tem um cara me empurrando. Solto-me dele e explico:

— O diretor mandou perguntar.

Ele não entende e continua berrando:

— Ainda não sumiu da minha frente? Desapareça, fedelho, se não quer apanhar!

Não sei mais o que fazer. Grito de volta:

— Foi o diretor!

— O diretor o quê?

— Mandou perguntar se tem um globo terrestre aqui.

— Aqui não tem nada pra você. Desinfeta!

Me dá uma pancada na cabeça e me bate a porta na cara. Inicio o caminho de volta, mas não sei o que dizer. Acabo dizendo:

— Eles dizem que o globo não está lá.

Felizmente, um aluno vem vindo justamente com o globo terrestre na mão. O diretor grita para ele tomar cuidado, senão vai quebrar. Não há jeito de falar com o diretor, mas não quero adiar a explicação. No desespero, puxo a professora pela manga. Não chego a puxar, apenas a toco de leve e falo baixinho:

— Professora...

Ela não quer me ouvir de imediato. Afasta-se comigo alguns passos, abaixa-se e pergunta:
— Qual é o problema?
E eu, cada vez mais baixinho:
— Por favor, peça ao diretor para ele não mandar vir minha mãe.
Falo murmurando, como se fosse um segredo. É incômodo a gente ser pequeno. A toda hora tem que se esticar, levantar a cabeça. As coisas acontecem lá nas alturas, acima de nós. A gente se sente sem importância, desprestigiado, fraco, perdido. Talvez seja por isso que gostamos de ficar em pé ao lado dos adultos que estão sentados. Então, podemos ver os seus olhos.
— Por que o diretor mandou chamar sua mãe?
Eu sei por que, mas estou com vergonha de contar. É desagradável contar uma bobagem dessas.
Baixo a cabeça, e a professora se inclina mais ainda.
— Veja, sem saber de que se trata, eu não posso pedir. Preciso saber. Que foi que você aprontou? Foi coisa grave?
— Não.
No fundo, nem sei se foi ou não foi grave.
— Diga, então.
Não gostamos de contar nossas coisas aos adultos, talvez porque eles estejam sempre com pressa quando falamos com eles. Sempre parece que não estão interessados, que vão responder qualquer coisa para se verem livres logo. Está certo: eles têm os seus problemas importantes, e nós, os nossos. De nosso lado, tentamos dizer tudo em poucas palavras, para não aborrecê-los. Como se o nosso assunto fosse de pouca importância, podendo ser resolvido com um simples sim ou não deles.
— Eu vinha correndo pelo corredor, e esbarrei nele.
— Bateu feio nele?
— Não, só me apoiei com o braço no barrigão dele.
— Na barriga — corrige a professora. E sorri.
Na mesma hora o assunto é resolvido. Penso "obrigado", e volto para a minha sala. Nem sequer a cumprimentei. Foi uma falta de

educação, é claro. Não tem importância. Só quero me sentar na minha carteira, sabendo que o problema acabou.

Na última aula, o professor lê alguma coisa sobre os esquimós. Que o inverno na terra deles dura metade do ano, e que eles constroem casas de neve. Esses barracos se chamam iglus. Pode-se acender fogo dentro deles, mas só quando faz muito frio, senão a neve derrete.

Quando eu era adulto, também sabia coisas sobre os esquimós, talvez até mais coisas. Mas não me importava com eles. Nem me perguntava se eles existem de verdade. Agora é muito diferente. Fico com pena deles.

Aparentemente estou de olhos abertos, olhando para o professor, mas o que vejo são campos de gelo — nada além de gelo e neve. Nenhum arbusto, nenhuma plantinha. Nem pinheiro, nem grama. Nada, só gelo e neve. A seguir, a noite cai, vento, escuridão, só de vez em quando uma luzinha no horizonte. Sinto geada e saudade dentro de mim. Coitados dos esquimós! Eles têm uma vida fria. Na nossa terra, mesmo o sujeito mais miserável pode se aquecer ao sol.

Havia silêncio na sala enquanto o professor lia. Alguém lá atrás sussurrou alguma coisa baixinho, mas o professor nem olhou para ele para fazê-lo calar a boca. Mas nós todos olhamos logo. Se ele é tão imbecil que não se interessa pelo assunto, que não tenha o topete de interromper. Se quiser experimentar, vai ver o que lhe acontece.

Todos estão de olhar fixo no professor, imóveis, quase sem piscar. Certamente estão vendo a mesma coisa que eu — campos de gelo eterno.

É uma pena que a aula de geografia não tenha acontecido antes da de desenho, porque eu teria desenhado melhor. Teria desenhado com mais verdade os olhos dos meninos. Mesmo que naquele tempo, quando havia as surras, os meninos olhassem diferente. Agora eles têm sonho nos olhos, antes tinham espanto.

Puxo o meu caderno de desenho, examino o meu tríptico e deixo de prestar atenção. Cansei de ter tanta pena dos pobres esquimós.

É bom ser criança outra vez. E é bom não ser esquimó nem chinês. Quantas crianças sofrem pelo mundo afora. As ciganas, as chinesas, as negras. O mundo é feito de maneira esquisita. Por que será que um sujeito nasce negro, e continua para sempre — primeiro criança, depois adulto, depois velho. E um dia morre. Tem que morrer.

De repente, barulho na sala. O que houve? Todos falam ao mesmo tempo. Acabei adivinhando o que foi que o professor leu enquanto eu não estava ouvindo, não estava prestando atenção. Deve ter lido sobre como os esquimós caçam focas e baleias.

Cada qual faz uma pergunta. Um quer saber uma coisa, outro outra. Saem das carteiras. E o professor os manda sentar, diz que está havendo muita barulheira, que não responderá nada enquanto todos não ficarem quietos. Mas o pessoal não pode ficar quieto, porque cada um quer saber, todos querem saber tudo em detalhe.

Os esquimós comem pão? Por que não se mudam para um lugar mais quente? Não seria possível construir casas de tijolos para eles? Uma baleia é mais forte do que um leão? Quando um esquimó não consegue encontrar o caminho de casa, pode acabar morrendo de frio? Existem lobos por lá? Os esquimós sabem ler? Existem canibais entre eles? Eles gostam dos ocidentais? Eles têm um rei? De onde vêm os pregos para eles fazerem os trenós?

Um conta o que aconteceu quando o avô dele se perdeu num passeio pelo campo, no meio do inverno. Outro fala alguma coisa sobre os lobos. Cada um grita para os outros ficarem calados, porque ele precisa dizer ou perguntar uma coisa importante.

Quando alguém se importa pouco com alguma coisa, pode esperar. Mas a turma dá muita importância aos esquimós. Ainda há pouco o pessoal todo morava lá no fim do mundo, perto do Polo Norte; então agora querem saber como vão aqueles seus amigos, conhecidos, parentes que ficaram por lá e que sofrem; e querem ajudá-los.

Antigamente, os presos políticos eram mandados para a Sibéria, e quando um deles voltava, também havia muitas mães, irmãs e noivas que perguntavam como era a vida por lá, o que faziam os queridos delas, quando iam voltar. Porque das cartas não se podiam extrair muitas informações.

Mesma coisa com o tal livro. O professor deveria contar mais uma vez tudo que sabe a respeito de focas, neves, renas, aurora boreal. Poderia até repetir tudo. Porque muitos de nós não ouviram tudo, de tão emocionados que estávamos.

Para o professor, esta já é a quarta aula, a quarta hora de trabalho na escola; para a turma, notícias de um país longínquo, de seres muito queridos. O professor está cansado, e nós também, só que de outra maneira. Assim surge a impaciência. Ele está saturado, e nós queremos mais.

Agora o professor está quase com raiva. Ameaça-nos com um castigo: nunca mais vai ler nada!

Nunca mais!

Por um instante se fez silêncio, embora os garotos não estivessem acreditando muito. Se ele ainda falasse em uma semana, vá lá, mas nunca mais... Aí, um boboca começa a fazer palhaçadas.

— Que é isso, o senhor não vai fazer essa maldade com a gente — diz ele. — Foi uma bobagem o pessoal fazer tanta bagunça, mas no fundo são bons meninos.

Parece que ele está querendo dar uma de pacificador, mas logo se verá que o que pretende mesmo é irritar o professor, provocar uma explosão, fazer o docente perder o controle. Em todo lugar sempre tem um sujeito desses. Ou não se interessa por nada — e então fica chateado quando uma aula é interessante, porque é preciso guardar silêncio para que todos possam ouvir — ou cria confusão só para atrapalhar porque, por uma razão qualquer, nesse exato momento não está gostando da aula.

O professor já está procurando alguém para botar para fora, já consultou o relógio, porque gostaria que a aula acabasse logo. O clima se torna desagradável. O professor, ao mesmo tempo, fica com pena, porque sabe que a turma estava prestando atenção. Controla-se, portanto, esboça um sorriso e diz:

— Você aí, já que é tão sabido, repita o que acabei de ler.

Começa, então, uma aula comum, dessas em que o professor interroga os alunos e estes resmungam, suspiram, respondem mal.

(Quando eu voltar a ser criança)

E o professor acaba achando que nós não sabemos nada, que somos uns ignorantes.

Quando eu era adulto, quanto mais uma coisa me interessava, melhor eu era capaz de falar a respeito. Mas com as crianças talvez seja diferente. Quando um assunto nos importa muito, torna-se difícil falar sobre ele, mesmo quando sabemos a matéria. Como se tivéssemos vergonha, medo de dizer algo que não se deve dizer. Porque tem uma coisa chata na escola: a gente tem de falar cientificamente para ganhar uma boa nota, um elogio ou mesmo uma reprimenda, mas nunca do jeito como a gente sente.

A parte final da aula foi chata, e só no recreio voltamos a falar dos esquimós para valer. Um guardou melhor uma determinada coisa, outro lembra de outros detalhes. E ficam discutindo:

— Foi isso o que o professor leu.

— Não é verdade.

— Quem sabe você estava caçando passarinhos enquanto ele lia.

— Quem caçava passarinhos era você!

Chamam testemunhas:

— Não é verdade que o professor leu que os esquimós têm janelas feitas de gelo?

— Não é verdade que foca é peixe?

— Muito bem, vamos perguntar ao professor.

Com todos deve acontecer a mesma coisa que comigo. A pessoa fica pensando em outra coisa de repente, aí já não dá para recuperar o terreno perdido. Por isso é que cada um guardou coisas diferentes. E só a turma inteira é que sabe tudo. Mais tarde, vão brincar de esquimós, na escadaria ou no pátio; e vão contar àqueles que faltaram à aula, acrescentando coisas que inventam, para que fique mais interessante.

Voltei para casa com Mundinho.

A rua me parece agora muito interessante. Tudo é interessante. O bonde, o cachorro, o soldado que passa, a loja, o letreiro na fachada da loja. Tudo é novo, desconhecido, como se tivessem passado tinta fresca por cima. Não é bem o caso de dizer que tudo é desconhecido, porque é claro que conheço o bonde, mas por exemplo quero saber se o número do bonde é par ou ímpar.

— Vamos adivinhar se o número é par ou ímpar, se é inferior ou superior a cem.

Pronto, inventamos um jogo.

Vamos ver se o soldado que passa tem ou não tem galões; se é da infantaria ou da artilharia.

Um mecânico está manipulando alguma coisa na caixa dos telefones, uns operários estão limpando o encanamento. Vale a pena dar uma parada, porque pode ser coisa interessante.

Tudo isso nos inspira pensamentos novos.

Vemos muitos cachorros pela rua. Um deles passa a língua no nariz — e logo vem a ideia:

— Os cachorros não precisam de lenços, porque limpam o nariz com a língua; já os homens costumam assoar o nariz. Dá vontade de fazer uma experiência.

Procuro alcançar o nariz com a língua, e Mundinho aconselha:

— Empurra o nariz para baixo com o dedo.

— Ajudando com o dedo não tem graça — respondo.

— Experimente.

Uma senhora que está passando se manifesta:

— Crianças estúpidas, mostrando a língua.

Ficamos com vergonha, porque havíamos esquecido completamente que há gente passando e olhando para nós.

Se a senhora soubesse de que estávamos conversando, não ficaria chocada, porque perceberia que se tratava de uma experiência para ver até que ponto os homens precisam de lenços para assoar o nariz, se os cachorros têm língua muito mais comprida e como se pode ajeitar uma pessoa sem nariz. Queríamos averiguar tudo isso, mas quem não ouvisse a conversa podia achar que se tratava de uma estupidez.

Uma vez, quando era adulto, estava com pressa para pegar um trem. Um vento forte me jogava poeira nos olhos. Fiquei sem saber se devia segurar minha mala, o chapéu ou tapar os olhos com a mão. Estava irritado e precisava me apressar para não perder o trem, porque ainda faltava comprar a passagem, e era provável que houvesse uma longa fila no guichê.

Eis que vejo três garotos, correndo de costas. Rindo do vento que os empurrava e conversando entre eles. Um deles cai justo debaixo dos meus pés. Procuro me afastar, mas ele tropeça na minha mala.

Reclamo, grito que ele estava fazendo bagunça, atrapalhando os outros. Estava mesmo; mas eu também o estava atrapalhando. Quem sabe de que é que eles estavam brincando, o que estavam pensando. Naquela hora o garoto talvez fosse um balão, um navio, um veleiro, e para ele eu e minha mala não passávamos de rochedos submersos. Para mim o vento era um aborrecimento; para ele, uma alegria. Os adultos e as crianças se atrapalham mutuamente; uns por uma causa, os outros por outra.

Quando eu era criança da primeira vez, gostava de caminhar pela rua de olhos fechados. Dizia a mim mesmo: "Vou andar dez passos de olhos fechados". Ou, se a rua estivesse deserta, ia ficar de olhos fechados o tempo necessário para caminhar vinte passos, e não ia abri-los por nada no mundo. No início caminho bem à vontade, depois mais devagar, com cuidado. Nem sempre sou bem-sucedido. Uma vez caí na sarjeta. Naquele tempo, nas sarjetas havia água escorrendo, hoje já existe canalização, canos embaixo da terra. Caí, então, na sarjeta, torci o pé, ficou doendo uma semana. Não disse nada em casa; para que falar se as pessoas não nos entendem? Responderiam logo que na rua se tem de andar de olhos abertos. Isso todo mundo sabe, mas um dia pode-se tentar outra coisa, só para experimentar.

Outra vez bati com a cabeça no poste de luz, fiquei com um galo na testa; ainda bem que o boné escondia um pouco. Basta dar um passo fora do rumo certo para perder a orientação e esbarrar no poste ou num pedestre. E, se esbarrarmos em alguém, raros serão os que simplesmente se afastarão ou dirão alguma coisa bem-humorada. Alguns ficarão indignados, que nem bichos:

— Está cego, não enxerga nada?
E um olhar hostil, como se quisesse devorar-nos.

Uma vez — eu já era crescido, devia ter uns 15 anos — duas meninas corriam perto de mim, mas corriam esquisito, de lado, e bem na minha direção. Não deu tempo de me afastar, então me abaixei, abri os braços, e aconteceu a trombada. Olharam assustadas. Uma tinha olhos azuis; a outra, negros olhos cheios de riso. Segurei-as por um momento, para recuperar o equilíbrio e depois soltar. Uma gritou: "Oi", a outra disse: "Desculpe". Respondi: "Não tem de quê". E saíram voando. Fugiram, voltaram-se para mim, riram, e uma delas esbarrou numa senhora. E a senhora empurrou-a com tanta força que a menina quase caiu. Que brutalidade!

Ora, as crianças são necessárias no mundo, e elas são o que são. Proponho:

— Mundinho, vamos apostar corrida com o bonde?

Estávamos justamente ao lado do ponto de bonde.

— Está bem — diz ele. — Quem chega primeiro na esquina, nós ou o bonde?

— Até a esquina, está valendo.

No início é fácil, porque o bonde ainda não pegou impulso. Depois, já corremos pela pista, ao lado da calçada. Uma charrete e seus cavalos nos atrapalham. Perdemos.

Ele diz:

— Cheguei antes de você!

E eu:

— Grande vantagem! Você estava com o casaco desabotoado!

Ele:

— Quem mandou não desabotoar o seu? Ou, pelo menos, arregaçar?

É verdade: não me lembrei. Há tantos anos não aposto corrida com o bonde que perdi a prática.

— Está certo — digo. — Vamos outra vez. Agora eu também com o casaco desabotoado.

(Quando eu voltar a ser criança)

Mas ele não quer mais. Diz que estraga os sapatos. E eu gostaria de correr mais. Estou feliz, porque não me sinto cansado. Fiquei esbaforido, o coração batendo forte, mas bastou parar um minuto para me sentir descansado outra vez. Cansaço de criança não cansa.

Conversamos sobre como aprender a pegar o bonde andando. Não é nada perigoso, mas é preciso saber fazer. Deve-se correr atrás do bonde, mesmo que seja de longe. Quando já se sabe, corre-se ao lado do bonde, é bom tocá-lo com a mão. Depois, aprende-se a agarrar. E só depois se pode pular para o degrau e descer pulando para a rua outra vez; mas não quando o bonde está a toda velocidade, só quando está ainda acelerando. Dá para aprender em um mês. E é melhor pegar o reboque, porque mesmo se você cair, não ficará debaixo das rodas. E é preciso ver se não tem um carro vindo atrás.

Os adultos também quebram as pernas. Conversamos sobre os acidentes:

— No meu tempo não havia automóveis — digo eu.

Ele olha para mim, admirado:

— Como não havia automóveis?

— Não havia, pronto — respondo irritado, porque a coisa me escapou sem querer.

Damos uma parada diante do poste com cartazes. No cinema está passando *As torturas do amor*.

— Você gostaria de ver?

Mundinho faz uma careta:

— Mais ou menos. Filmes de amor são chatos. Ou as pessoas se beijam ou ficam andando dentro dos quartos. Só uma vez ou outra alguém dá um tiro. Prefiro os filmes policiais.

— Você gostaria de ser detetive?

— Acho que sim. Deve ser bom correr pelos telhados, pular as cercas com um revólver na mão.

Lemos o anúncio do circo.

— Eu gosto bem mais do circo.

Paramos, batemos papo, continuamos andando.

— Amanhã tem cinco horas de aula.
— Ciências naturais.
O professor bem que poderia contar mais alguma coisa sobre as focas, e também sobre os ursos polares.
— Você gostaria de ser um urso?
— Que pergunta! Claro que sim.
— Os ursos são pesadões.
— Não são pesadões coisa nenhuma, só parecem.
Mas preferiria ser uma águia. Subiria no topo da montanha mais alta, acima das nuvens. Ficaria parado lá, solitário e soberbo.
É mais agradável ter asas do que voar de avião. O avião precisa de gasolina e pode sofrer uma pane. Além disso, é preciso ter um hangar, e não é em qualquer lugar que se pode aterrissar. É preciso limpar o motor, pegar impulso para subir. Já as asas, quando não se usa, basta dobrar. E pronto.
Se os homens tivessem asas, teriam de usar outro tipo de roupa. Haveria duas aberturas nas costas da camisa, e as asas poderiam ficar por cima ou por baixo do casaco.
Dois meninos vão andando, conversando, com toda naturalidade. São os mesmos que ainda há pouco punham a língua para fora para lamber o nariz e apostavam corrida com o bonde. Mas agora trocam ideias sobre os problemas de asas para a humanidade.
Os adultos pensam que as crianças só são capazes de fazer bagunça e dizer bobagens, mas elas profetizam um longínquo futuro, discutem e debatem a esse respeito. Os adultos dirão que os homens nunca terão asas, mas eu, que já fui adulto, afirmo que eles bem que podem ter.
Comentamos, pois, como seria agradável voar para a escola, e da escola para casa. Vou voar um pouco e, quando ficar cansado, andarei um pedaço a pé. Ora descanso para as asas, ora para as pernas.
Bastará a gente dar uma olhada pela janela, subir para o telhado e levantar voo para uma excursão. Quando estamos em cima da cidade, voamos em pares, mas fora da urbe cada um segue seu caminho.

(Quando eu voltar a ser criança)

E quando você está na floresta, pode passear onde quiser: se se perder dos outros, sobe, olha lá de cima onde fica o local de encontro e pronto, não há problema.

— Seria bacana, Mundinho, não seria?

— Claro que seria.

E os homens desenvolverão o alcance da sua vista. Sabemos que os pássaros migrantes acham as suas aldeias e os seus ninhos.

Não têm mapas nem bússolas, mas atravessam oceanos, rios e montanhas, e chegam direitinho.

Sábios pássaros, mais sábios que o homem. Mas o homem domina tudo, todos o obedecem.

— Talvez seja porque sabe matar com mais eficiência, e não porque é o melhor.

Ficamos refletindo; mas eis que passa um rapaz, um pivete já crescido. Segurando um pedaço de pau, encosta-o na pala do meu boné, tira-o da minha cabeça e o joga no chão.

Dou um pulo e o enfrento:

— Está provocando por quê?

— Que foi que eu fiz? — o sujeito se finge de desentendido.

— Jogou meu boné no chão.

— Que boné?

Ri, cínico, e continua fingindo.

— Vai dizer que não fez nada?

— Claro que não. Olhe o garoto ali, segurando o seu boné.

Mundinho pega o boné no chão e fica parado, observando o desenrolar dos acontecimentos.

— Vá plantar batata, moleque. Jogar seu boné no chão... Tenho mais o que fazer.

— Não deve ter mesmo, ô, sem-vergonha. Não deixa a gente caminhar em paz.

— Sem-vergonha, não. Cuidado, porque vai apanhar!

E me cutuca com a tal vara embaixo do queixo. Aí eu pego a vara, aperto e quebro.

Ele chega mais perto. Eu não recuo.
— Quero o meu bastão de volta. Ou então me paga outro.
Ele se abaixa um pouco. Como é mais alto do que eu, dou um pulo e, com o punho, o golpeio na testa. Mas o boné dele nem cai. Saio correndo a mil, e Mundinho atrás de mim. A jato mesmo. "Assim você aprende", penso. "Da próxima vez, não venha provocar, porque mesmo um mais baixinho pode lhe mostrar o que é bom."

O menino começa a correr atrás de nós, mas vê que não tinha razão e que escolheu um adversário esperto para brigar, então desiste logo.

Paramos e ficamos rindo.

Ainda agora eu estava tão indignado que o sangue me subia à cabeça. Via tudo vermelho. Mas já estou alegre outra vez. Limpo o boné com a manga.

— Por que foi que você começou? — indaga Mundinho.
— Quem foi que começou, eu ou ele?
— Tudo bem, foi ele, mas ele é grande.
— E só porque é grande pode andar por aí agredindo as pessoas?
— E se amanhã ele te reconhece e te dá uma surra?
— Reconhece coisa nenhuma, vai reconhecer como?

Mas Mundinho tem razão. Agora vou ter que me cuidar.

Onde já se viu alguém tirar o boné da cabeça de um garoto, em plena luz do dia, numa rua cheia de gente! Se fizessem isso com um adulto seria um escândalo, juntaria uma multidão, apareceria um guarda. Mas a vítima sendo criança, não acontece nada. No meio das crianças também existem aventureiros, e não temos nenhuma ajuda nem proteção contra eles — precisamos nos defender.

Ficamos parados na esquina, sem vontade de nos separar. Pois não é que estávamos conversando sobre um assunto importante, e de repente o tal intruso nos atrapalhou. Mas o caminho de volta foi agradável: primeiro a brincadeira, depois a conversa, e depois a aventura.

Agora vou andando sozinho, devagar, e procuro andar pisando sempre no meio de uma pedra do calçamento. Assim como no jogo

(Quando eu voltar a ser criança)

da amarelinha, em que a gente não pode pisar no risco de giz. A coisa em si seria fácil, mas é preciso esquivar-se das pessoas que passam. E nem sempre se consegue mudar de repente o tamanho do passo sem pisar na linha.

Tenho direito de errar dez vezes. Se errar mais, perco. Vou contando os erros — dois, três, quatro. Ainda tenho direito a seis, agora a cinco. Fico com medo, mas é bom sentir medo quando se está brincando.

Depois da oitava falta, entro no portão do nosso prédio. Mas antes de passar em frente à loja espanto um gato. O gato corre para dentro do portão, e eu atrás dele. Aí ele fica num canto e olha para mim; levanta uma pata num gesto engraçado.

— Houve alguma prova na escola? — pergunta mamãe.

— Não.

Beijo-lhe a mão carinhosamente. Ela até olha para mim e me passa a mão pela cabeça.

Estou contente por ter sido perdoado pelo diretor, e por ter minha mãe de novo.

As crianças acham que um adulto não precisa de mãe, que só uma criança pode ser órfã. As coisas são feitas de modo que quanto mais velha uma pessoa é, tanto mais raro é ela ainda ter pais. Mas tem horas em que também o adulto sente saudades da mãe, do pai, e acha que só eles poderiam ouvi-lo, entendê-lo, aconselhá-lo e ajudá-lo, e se necessário também perdoá-lo e ter pena dele. Portanto, o adulto também pode se sentir órfão.

Bom, já almocei; e agora, o que fazer?

Desço para o pátio. Estão lá o Félix, o Miguel e o Tiago.

— Vamos brincar de caçar?

Miguel fabricou um revólver de madeira, pintou-o com tinta preta, encheu-o de pregos. Onde será que arranjou pregos com cabeças douradas — é claro que não podem ser de ouro —, vistosos, brilhantes? Miguel denominou-o O Revólver Vencedor. Diz que o recebeu no campo de batalha, como um prêmio por sua coragem. O próprio general entregou-lhe a arma, ressaltando os seus feitos heroicos. Depois da batalha, o regimento todo fica formado em fila. A banda toca, as bandeiras são desfraldadas, há uma salva de tiros de festim, um desfile. E então o general discursa:

— Este revólver foi conquistado pelo meu bisavô, na guerra contra os turcos, e foi passando de pai para filho. Ficou duzentos anos na nossa família. E agora, já que você me salvou a vida, quero entregar-lhe esta arma.

É o que Miguel está contando. Ora diz que a batalha foi em Viena, ora em Cecora, ora em Grunwald. Não tem importância. Agora que sou criança outra vez, sei que não importa a História que a gente sabe, e sim a que a gente sente dentro de si. Quando era professor, pensava diferente.

Bom, Miguel será o caçador, Félix será a lebre, Tiago e eu seremos os cães de caça.

Custamos um pouco a decidir. Inicialmente íamos brincar de perseguição ao bandido, mas a minha sugestão era uma expedição à terra dos esquimós.

A unanimidade é bem rara. Acontece de alguém não estar muito a fim de brincar, então é preciso fazer-lhe as vontades para estimulá-lo. Não querem brincar de esquimós porque não há neve; e Miguel é contra a ideia de brincar de bandido.

— Da última vez que brincamos, vocês rasgaram a manga do meu casaco.

Rasgamos coisa nenhuma, a costura estava malfeita, então a linha gastou. Sendo Miguel um bandido perigoso, nós o estávamos carregando para o porão, onde seria executado. Estava se debatendo e era bem capaz de fugir, então quem ia prestar atenção à manga?

A brincadeira da lebre, sem dúvida, é mais tranquila, e quando tudo dá certo pode também ser muito interessante.

O mais importante em qualquer brincadeira é com quem a gente está brincando. Existem uns selvagens que, já se sabe, acabam causando acidentes. Um sujeito desses não se importa com nada, só quer uma coisa: ganhar. Brincar com esse tipo de pessoa não é muito agradável, porque a gente tem de se vigiar. Ele é aceito porque, caso contrário, ia criar confusão, mas sob certas condições. Também é desagradável brincar com os que gostam de discutir. Qualquer coisa, já começam a discutir, ou ficam ofendidos. Os garotos não se ofendem tanto, mas as meninas, é bom nem falar... No momento mais palpitante aproveitam a primeira oportunidade:

— Então não brinco mais.

Não adianta todos argumentarem que ela não tem razão: ela continua insistindo. Se possível, a gente acaba cedendo, para não estragar tudo, mas é muito irritante.

Os adultos não entendem. Dizem:

— Vão brincar. Por que não brincam com Fulano? Chega de brigar.

E assim por diante.

E ficam zangados se nós não obedecemos.

Mas como brincar com o pobre coitado que vai logo cair, chorar, dar queixa de nós? Ou com o boboca que não entende nada e no momento crucial estraga tudo?

É péssimo ter que interromper o jogo sem saber como ia acabar.

A brincadeira precisa ser bem construída, o que nem sempre se consegue; então, quando a gente consegue, quer aproveitar.

Vamos, então, brincar de caça.

A lebre fica zanzando pelo pátio, mas os cães a cercam pelos dois lados. Ela dá um pulo para dentro do prédio. Eu atrás.

Paro, fico farejando para ver se ela subiu pela escada ou se desceu para o porão. Parece que ouço um barulho vindo do porão. Me aproximo na ponta dos pés, mas está escuro.

A lebre quase sempre vai se abrigar no porão, porque no escuro é mais fácil se esconder e depois dar o fora. E, querendo uma brincadeira tranquila, o porão é também preferível. Porque na escada a gente tem sempre receio, precisa tomar cuidado para não esbarrar em ninguém.

────(Janusz Korczak)────

Ano passado Alex, num esbarrão, derrubou escada abaixo a mãe de José e a cesta cheia de carvão que ela carregava. Eu era adulto então, e me lembro como fiquei indignado, esses meninos estão exagerando, o zelador tinha de expulsá-los do pátio com uma vassoura. Todos uns mal-educados, não deixam os moradores em paz. Felizmente, não aconteceu nada com a mulher, ela só arranhou a perna; mas poderia ter sido pior.

Nós temos grande compaixão para com qualquer galo na testa ou outra mancha roxa de um adulto, mas quando alguma coisa acontece a uma criança, dizemos: "Bem-feito, da próxima vez não fique fazendo bobagens".

Como se a criança sentisse menos, tivesse um outro tipo de pele. E se a coisa fica só nas ironias, ainda bem, por mais que irrite. Doeu um pouco, você levou um susto, e eles fazem piada. Mas há casos piores, quando gritam conosco. Sabem que não foi de propósito — quem é que se machuca voluntariamente? —, mas a eles parece que "foi só para aborrecê-los" que a gente se arranhou ou cortou.

Agora sei que, sendo eu um cão de caça e estando a lebre escondida no porão, se eu conseguir enxergar um clarãozinho no escuro não posso descer a escada devagar, pé ante pé, tenho de me precipitar de três em três degraus, com o risco de escorregar, cair e bater com a cabeça, ou levar uma farpa de corrimão na pele. Corro o risco, ou melhor, nem peso os riscos, porque o que quero é pegar a caça. E não acontece de o cachorro na corrida bater numa árvore, no meio da floresta, e quebrar a cabeça? E olhem que o cachorro tem quatro patas, e eu só tenho duas.

Sou um cachorro, fico latindo, choramingando porque perdi a pista. Quando era adulto, tinha voz grossa e não podia nem latir, nem cantar feito galo, nem cacarejar feito galinha. Agora recuperei minha voz de criança e posso latir como antigamente.

Fico parado, à espreita; depois, precipito-me para o porão. Tiago vem correndo atrás. Mas eis que a lebre, acima de nós, pula de um patamar da escada para o pátio.

(Quando eu voltar a ser criança)

Dou um latido de decepção e inicio a perseguição.

Combinamos que não é permitido sair para a rua, mas o espaço no pátio é pouco. A lebre deu algumas voltas, mas já os cães e o caçador a acossam de um lado. Lá se foi a lebre para o portão.

— Não pode!

Mas experimente discutir com a lebre sobre o que pode e o que não pode quando ela está defendendo sua vida. Pois não é que está defendendo sua vida? E, se queremos continuar brincando, temos de entender essas coisas.

Antes de começar a brincar a gente combina as regras, mas é muito difícil observá-las quando se está em perigo.

Se estamos cansados ou sem muita vontade de brincar, ou se alguém faz alguma coisa que não é mesmo permitida, o jogo é interrompido e começa a discussão. Não se trata bem de discutir, seria mais para descansar um pouco ou modificar alguma coisa na brincadeira, introduzir um aperfeiçoamento. Põe-se alguém para fora, admite-se outro; ou então o cão vira lebre, ou coisa parecida. Ou alguém inventa outra brincadeira.

Por isso é mais gostoso brincar entre nós, sem os adultos. O adulto logo determina como tudo deve ser, escolhe quem vai fazer o quê, e fica nos apressando, como se quisesse economizar tempo. E nem conhece bem cada um dos garotos.

Para descansar é bom discutir um pouco. Forma-se um grupinho e fica-se deliberando. Às vezes calmamente, outras vezes com irritação.

Quando acontece de alguém se machucar ou rasgar a roupa, a culpa toda é jogada naquele que brincou diferente do que havia sido combinado.

— A culpa foi sua.

Este se defende, diz que não, mas se sente culpado. E nós sabemos que é chato confessar-se culpado, a não ser que o sujeito tenha mesmo exagerado ou que outro tenha abusado de irritá-lo.

— Bom, chega.

— Estamos brincando, ou não estamos?

— Tudo bem. Vamos começar.
— Chega de discutir.
— Quem não está a fim de continuar pode ir embora.

Portanto, eis a lebre no portão, depois na rua, e nós atrás. Ela vai para o outro lado da rua, nós também. Para nós é mais fácil, porque assim que um esmorece o outro se aproxima e espanta a caça. Nós corremos em linha reta, a lebre tem de fugir em ziguezague. Mas a escolha foi bem-feita, porque a lebre tem uns dois anos mais do que nós, e corre mais. No fim a gente vai alcançá-la, mas o problema é saber durante quanto tempo ela consegue escapar.

O bicho acabou sendo alcançado no patamar do terceiro andar. Estava meio morto, mal conseguia respirar. Foi apanhado vivo, porque nem se defendeu, preferiu se entregar.

Sentamos então na escada e ficamos conversando. Também nós estávamos cansados de tanto subir as escadas correndo. Só ganhamos porque cada um prometeu a si mesmo não deixar a presa escapar, custasse o que custasse.

É verdade que a lebre poderia ter se escondido na sua toca, no seu apartamento. Acontece que mora num outro bloco do edifício.

Mas o garoto que fez a lebre diz:
— Se eu não quisesse, vocês não teriam me apanhado.

Nós respondemos que ele não tinha para onde fugir. Mas ele insiste:
— Se eu quisesse, teria escapado.
— Nós também, se quiséssemos, teríamos apanhado você mais cedo, só que ficamos nos poupando. E estávamos com pena de você.
— Com pena! Vocês não me deixaram respirar em nenhum momento. Nem um verdadeiro cão de caça persegue a presa desse jeito.
— Quem mandou você fugir para a rua, quando estava combinado que não podia?
— Essa é boa. E para onde queriam que eu fugisse?
— Era o caso então de se entregar.
— Sabido. Por que não atirou? Se tivesse me ferido, teria me apanhado logo. Segura o revólver na mão e não atira.

É verdade. Miguel deveria ter atirado, mas ficou correndo junto conosco. Esqueceu que era caçador, e não cachorro. Foi um erro. Se tivesse atirado, Félix teria caído; já estava tão cansado que teria se entregado honrosamente. Miguel está irritado.

— Ganhou o revólver do próprio rei na batalha de Cecora, mas não sabe atirar numa lebre. Belo herói.

Miguel fica chateado.

— Se você continua zombando de mim, não te conto mais nada.

Tiago, com receio de ficar de mal com o amigo, diz:

— Lembra aquele dia em que brincamos de tigres, você tinha fugido do circo e eu era o domador?

Passamos a falar de animais amestrados, contar o que cada um tinha visto. Os leões que pulam por dentro de arcos em chamas, o elefante que anda de bicicleta, os macacos que fazem isto, os cachorros que fazem aquilo.

O mais interessante é conversar sobre cachorros, porque todo mundo já viu, enquanto conhecemos os outros animais sobretudo por ter ouvido falar ou lido a respeito. Um tio de Félix tem um cachorro que fica em pé sobre as duas patas, traz coisas que o dono joga para longe, finge-se de morto, não permite que o toquem. Alguém fala de um soldado que veio de férias, tinha um cachorro amestrado e vivia exibindo na rua as artes que o bicho sabia fazer. Mas também mostrava aos meninos a sua baioneta e lhes falava de bombas e metralhadoras.

— Se estourasse a guerra, eu ia logo me alistar como voluntário.

— Experimente só, para ver se te aceitam. Pequeno demais.

Um suspiro.

Falamos de morsas, que têm nas patas membranas que nem as dos patos e salvam quem está se afogando. E falamos dos afogados. A noite caiu. Dá medo ficar falando.

— O professor, na escola, leu a respeito dos esquimós.

Conversamos sobre os esquimós e a escola. Como seria bom se verdadeiros exploradores, descobridores e militares visitassem as escolas para contar o que fazem, o que já viram na vida.

— Uma vez a professora contou sobre uma excursão que fez nas montanhas. Contou da tempestade, dos trovões. Falar de uma coisa que se viu é completamente diferente de ler nos livros. Nos livros é menos interessante.

— Pois é, os exploradores bem que contam as suas viagens, mas contam aos adultos. Imagine se pessoas famosas vão falar às crianças. Não vale a pena.

Ficamos calados. O zelador acende luzes na escada. Já nos descobriu, e quer nos expulsar.

— O que estão fazendo aqui no escuro? Fora, para casa!

E fica olhando com ar de suspeita, como se estivéssemos fazendo coisas proibidas. Deve ter pensado que estávamos fumando, porque um fósforo estava jogado no chão e ele ficou olhando para o fósforo e para nós, e outra vez para o fósforo e outra vez para nós.

Talvez seja só impressão, mas existe desconfiança a nosso respeito, e isso é algo bem desagradável. E ainda por cima costumam liquidar vários assuntos sob um só pretexto. Se não viram nada, não há problema, mas basta terem percebido qualquer coisa e lá vem logo: "Abotoe-se, porque está com os sapatos cheios de lama, já fez os deveres, deixe ver se as orelhas estão limpas, vá cortar as unhas".

Isso nos ensina um pouco a dissimular, a nos esconder, mesmo que não tenhamos feito nada de errado. E se por acaso olham para nós, logo ficamos esperando uma reprimenda. Talvez por isso não gostemos de puxa-sacos. O sujeito talvez até não seja puxa-saco, mas convive demais com os adultos, não teme o seu olhar, então parece cúmplice.

No meu tempo de professor, eu fazia a mesma coisa. Parecia-me que via tudo muito bem e era capaz de prestar atenção ao menor detalhe. Mas agora não: sei que, quando olho para uma criança, ela deve poder se sentir à vontade. E, quando quero dizer alguma coisa, não deve ser algo que por acaso me passou pela cabeça, e sim algo que eu de fato quero dizer.

Pois então, estamos sentados na escada, no escuro. E de que maneira ficaríamos sentados se as luzes não foram acesas? Estamos conversando, simplesmente. Mas se dissermos que estamos conversando, comentarão logo: "E de que será que vocês estão conversando? De bobagens, só pode ser".

Pode ser que não estejamos falando de coisas muito inteligentes. Conversamos, apenas. E os adultos, será que sempre falam de coisas inteligentes? Então, por que esse menosprezo?

Os adultos pensam que nos conhecem muito bem. O que pode haver de interessante numa criança? Viveu pouco, pouco sabe, pouco entende. Mas todos esquecem como eram quando crianças, e pensam que de repente agora são inteligentíssimos.

— Embora para casa! Vamos andando!

Separamo-nos a contragosto, cada um vai andando devagar, a passos lentos. Para ele não pensar que temos medo dele. Porque, se quiséssemos mesmo ficar e fazer coisas proibidas, ele não teria como nos impedir. Se não aqui, em outro lugar; se não agora, mais tarde.

Em casa, o jantar ainda não está pronto, então começo a brincar com Irene. Ah, sim, tenho uma irmãzinha, Irene. Tenho também pai e mãe.

A brincadeira é a seguinte: eu fecho os olhos, tapo os ouvidos e viro-me para a parede. Ela esconde a boneca e eu a procuro. E, quando encontro, faço de conta que não quero devolver, seguro-a lá no alto, acima da cabeça. Irene me puxa pela mão e pia:

— Me dá a boneca, me dá, me dá, me dá!

Ela tem de gritar "me dá a boneca" umas quinze ou vinte vezes, porque esse é o preço do resgate. Se achei logo, devolvo mais facilmente, mas se para achar tive de penar bastante, exijo mais pedidos.

Uma vez ela escondeu a boneca embaixo do travesseiro; achei logo. Ela berrou dez vezes:

— Me dá a boneca!

Depois, escondeu a boneca no bolso do casaco. Na terceira vez, atrás do armário. Na quarta, debaixo da cama. Mas quando escondeu dentro da panela e precisei procurar um tempão, ela teve de gritar trinta vezes:

— Me dá a boneca!

E tudo de novo. Não é uma brincadeira tola, infantil. Trata-se de descobrir um segredo, achar algo que está oculto, mostrar que não dá para esconder uma coisa de tal modo que se torne impossível achá-la. Quanto mais difícil a conquista, mais gostosa a vitória. Quer se trate da verdade dos adultos — descoberta, invento, revelação —, quer se trate de boneca dentro de uma panela, toda a natureza é como Irene escondendo a boneca; e a humanidade, em laborioso esforço de busca, sou eu, um menino.

Antes cacei a lebre com a velocidade das minhas pernas e a esperteza da minha corrida, agora acho a boneca através de dedução, intuição, obstinação.

E o que mais fazemos na vida, o que mais faz a humanidade inteira?

Corremos atrás de lebres e procuramos bonecas.

Estou cansado depois desse dia tão longo e cheio de experiências. Janto, e quero ir logo para a cama.

— Por que está tão calmo assim? — pergunta o pai. — Aprontou alguma estripulia na escola?

— Não — respondo. — Estou com dor de cabeça.

— Quer umas gotas de limão? pergunta a mãe.

Lavo só as mãos e o rosto, troco logo a roupa, estou deitado, de olhos fechados.

Acabou o primeiro dia da minha nova infância. Quanta coisa em um só dia! Registrei somente algumas das experiências, aquelas que a lembrança por acaso me passou, aquelas que levaram mais tempo. Se impressões caem em cima da gente que nem enxurrada de verão, como guardar e descrever todas as gotas da chuva? É possível, por acaso, contar as ondas agitadas de um rio que está transbordando?

Fui esquimó e cachorro, persegui e fugi da perseguição, fui vencedor e inocente vítima do acaso, artista e filósofo: a vida virou uma banda que toca música para mim. Compreendo agora que a criança pode ser um músico amadurecido; e, se penetrarmos mais a fundo no seu desenho e na sua fala, quando ela finalmente confiar em si mesma e começar a falar, e nós captarmos o que tem de especial e digno na sua expressão, encontraremos nela um mestre dos sentimentos, um poeta, um artista plástico. Assim será. Mas não somos adultos ainda. Temos raízes presas demais na vida material.

Viajei hoje ao país das neves eternas; transformado em cão de caça, mostrei meus dentes caninos; e tantas coisas mais, tantas coisas.

Quando brinquei com Irene, a boneca não era uma boneca, era vítima de um crime, um cadáver oculto, e minha tarefa era descobri-lo. Quando o achei, peguei-o cuidadosamente nos braços, como se pega um morto.

A boneca era uma pessoa que se afogou, e eu era pescador. Andei pelo quarto, num movimento de balanço. Movimentava as mãos, como para jogar a rede.

A boneca era um bandido; onde será que se esconderá? Atravesso o quarto com precaução, na ponta dos pés, para que ele não me acolha com um tiro mortífero.

Não era no bolso do casaco que ela estava, nem debaixo do travesseiro, mas na mata virgem, no esconderijo subterrâneo, no lodaçal, no fundo do mar. Eu a pegava brutalmente e a sacudia.

Não o dizia a Irene, porque ela é pequena demais, não ia entender. Era uma brincadeira só minha.

Esqueci de contar que naquela hora mamãe entrou e disse:
— Devolva a boneca para ela. Por que fica agitando a menina?
— Mas nós estamos só brincando — respondo.
— Você talvez esteja brincando, mas ela está irritada; até na escada ouvem-se seus berros.

Não contei também que no porão vi de relance, num canto, uma coisa branca, como se fosse um homem sem cabeça envolto numa mortalha. E quando saí correndo do porão, por alguns momentos não estava perseguindo lebre nenhuma, mas fugindo do fantasma. Durou pouco, mas algo ficou batendo forte no meu peito, e três relâmpagos negros faiscaram na frente dos meus olhos.

E não descrevi como fiquei com sede durante a aula. E o professor não me deixou sair.

— Daqui a pouco bate o sinal, você vai poder beber à vontade.

Ele tinha razão. Mas sou criança, tenho agora outro relógio, outra medida do tempo, sigo um calendário diferente. Meu dia é uma eternidade dividida em breves segundos e intermináveis séculos. Não foi dez minutos que durou a minha sede.

"Quando vem esse sinal? Estou sofrendo. A boca arde, os olhos e os pensamentos estão em chamas. Sofro de verdade. Porque sou criança."

E não contei que no intervalo um colega me deixou tocar na nova gaita dele, só para experimentar se era boa. Ele se gabava de que era a melhor gaita do mundo, não enferrujava, era sólida. Devo ter tocado um minuto, uma só vez, esfreguei a gaita no paletó e devolvi. Só isso. Acontece que não é só isso. Porque se ele perder a gaita, ou a trocar por outra coisa, vendê-la ou estragá-la, e se daqui a seis meses eu tiver uma gaita e ele me pedir para tocar nela, eu vou me lembrar, e a emprestarei. Pois, se não o fizesse, ele teria todo o direito de dizer:

— Veja só como você é. Eu deixei você tocar.

É preciso guardar na memória esses serviços prestados quando se quer ser um homem de bem.

Não escrevi também que tenho um casaco grande demais, enorme. Incomodou-me quando apostei corrida com o bonde. Enquanto eu não crescer, vai incomodar sempre, tantas vezes quantas o vestir. Mais uma vez, não se trata só de um pequeno detalhe. Sei lá quanto tempo vai levar: meio ano, um ano, uma eternidade.

E não mencionei que, de repente, vi na janela uma mosca viva. Fiquei contente, às escondidas peguei uns grãos de açúcar e joguei para ela. Estava alimentando a primavera. E que Irene nem ninguém se atrevesse a fazer mal a ela.

Achei uma rolha de garrafa. Pode ser útil. Está no bolso da calça, perto da cama.

Vi um soldado na rua. Dei uns passos como se estivesse marchando e bati continência. Ele sorriu amistosamente.

(Quando eu voltar a ser criança)

Lavei a cara com água fria. Senti uma sensação de banho — água gostosa, fria. Alegria fugaz.

Quando era adulto, tinha um velho tapetinho, gasto e desbotado. Um dia, vi na vitrine de uma loja um tapetinho igual, com o mesmo desenho, as mesmas flores, só que novo. Continuei andando, porém mais devagar, e curvado.

Quando era adulto, após um longo inverno lavaram as vidraças da minha casa. As vidraças estavam mesmo cobertas de poeira. Quando cheguei em casa fiquei muito tempo parado, satisfeito, olhando pela janela transparente.

Certa vez, quando era adulto, encontrei um tio a quem não via havia muito tempo e do qual já tinha me esquecido. Cabeça branca, apoiado numa bengala. Pergunta o que há de novo. Respondo:

— Estou ficando velho, tio.

E ele:

— Já? E eu, o que devo dizer? Você não passa de um garoto.

Fiquei contente de vê-lo vivo, e porque ele me chamou pelo meu nome.

De repente, uma mão quente tocou a minha testa. Tive um sobressalto. Abri os olhos. Meu olhar encontrou o olhar inquieto de minha mãe.

— Está dormindo?

— Não.

— Está com dor de cabeça?

— Não.

— Está com frio? Quer que te cubra?

A mão de mamãe toca o meu rosto, meu peito. Sento-me na cama.

— Não tenha medo, mãe. Nunca tive dor de cabeça.

— Mas falou que tinha.

— Pensei só que tinha. Estava com sono.

Abraço-a pelo pescoço, olho nos seus olhos. E logo escondo a cabeça debaixo do cobertor. A tempo de ainda ouvir:

— Durma, filhinho.

―――(Janusz Korczak)―――

Sou criança de novo, e mamãe me chama de filhinho. Outros me chamam pelo diminutivo. As vidraças voltaram a ser transparentes, o tapete recuperou as vivas cores do passado.

Tenho outra vez mãos jovens, pernas jovens, ossos jovens, sangue jovem, sopro jovem, jovens lágrimas e alegria.

Alegria, lágrimas e uma jovem, infantil oração. Adormeço. Como depois de uma longa marcha.

Segundo dia

Nevou durante a noite.
Está tudo branco. Branquinho.
Há muitos anos não vinha neve. Depois desse tempo todo, estou contente porque há neve, porque tudo ficou branco.
Os adultos também gostam do bom tempo, mas eles pensam sobre o assunto, o analisam. Para nós, é como se o estivéssemos bebendo. Uma manhã clara é, para os adultos, uma coisa gostosa; para nós, ela é como um vinho gelado que nos embriaga.
Quando eu era adulto, vendo a neve pensava logo que ia virar lama, pressentia os sapatos úmidos e preocupava-me em saber se íamos ter carvão suficiente para atravessar o inverno. A alegria existia também, mas coberta de cinzas, poeirenta, parda. A alegria que sinto agora é branca, cristalina, ofuscante. Por quê? Por nada: é a neve.
Caminho devagar, com cuidado, com pena de esmagá-la com os pés. Em torno de mim, ela produz faíscas, brilha, reluz, cintila, brinca, vive. E, dentro de mim, há milhares de faíscas. Como se alguém tivesse espalhado pó de diamantes pela terra e pela alma. O pó virou semente, e vamos ter árvores de brilhantes. Está nascendo uma cintilante fábula. Uma estrelinha branca cai na minha mão. Linda, delicada, cordial.
Pena que desapareça logo, espantada. É uma pena — mas assim mesmo sopro em cima e fico contente que ela não esteja mais ali, porque uma outra já acaba de cair. Abro a boca e pego-a com os lábios. Sinto o cristalino frio da neve, uma brancura límpida e fresca.
E, quando começar a derreter, teremos pedacinhos de gelo.
Pode-se fazê-los cair com a mão. Pode-se abrir a boca e pegar ao mesmo tempo a neve e as gotinhas que caem. Com um bem medido

movimento da mão você derruba os cristaizinhos, que caem e se despedaçam, com um som gélido.
Inverno de verdade e primavera de verdade.
Não é neve, não. É o reino encantado do arco-íris de uma bolha de sabão.
E há também as bolas de neve. As bolas — perspectivas de aventuras e surpresas. Você pode ter quantas bolas quiser. Não precisa comprá-las, nem pedi-las emprestadas. Você as tem. Atirou uma, que caiu, molenga, e se desfez. Não faz mal, já, já haverá outra. Um atira no outro, o outro no primeiro, nas costas, na manga — e não acontece nada; só a neve e o coração em disparada.
Você cai, levanta, faz de conta que sacode a roupa. No pescoço, uma agradável sensação de frio. Que aventura!
Você prepara uma bola. Modela-a por igual de todos os lados. Ela está crescendo. Você escolhe os lugares que precisam de aperto, aperta. A bola está bem grande. Já não cabe na mão fechada, só repousa na palma da mão aberta, você sente o peso. Você escorregou, vá mais devagar, cuidado. Quem fez a maior bola? E agora, o que vamos fazer? Fabricar um boneco de neve ou pegar impulso e mergulhar os pés num montinho?
Os porteiros afastaram a neve para os dois lados da rua, vamos pular, chafurdar até os joelhos na penugem branca.
Pelo amor de Deus, preciso de tábuas e pregos! A coisa mais indispensável, a única coisa importante no mundo, fora da qual nada existe, é ser dono de um pequeno trenó, com uma tira de latão embaixo. O que posso desmontar, destruir, achar ou ganhar de presente para ter as tábuas? E como conseguir patins — se não dois, pelo menos um? A gente se sente órfão sem patins nem trenó.
São essas as nossas brancas preocupações, os nossos brancos desejos.
Tenho pena de vocês, adultos, por serem tão pobres de alegria da neve, da neve que ontem não havia!
O vento recolhe das marquises e dos parapeitos as estrelinhas em pó e salpica o pó pela rua. Forma-se um branco e frio turbilhão. Para

baixo, para cima, para dentro das pálpebras apertadas, penetrando pela cortina dos cílios embranquecidos.

É rua; é só rua. Não é floresta, não é clareira — mas é uma rua branca. Que vira um só grito de entusiasmo, de jovem alegria. Nos telhados se veem pequenas figuras humanas que, com pás nas mãos, atiram a neve para a calçada. Fica-se com inveja deles, que estão lá no alto. Podem até cair, mas não caem, e executam um trabalho tão fácil, agradável e belo: jogar neve para a rua. Os pedestres se afastam e olham para cima.

Se eu fosse rei, no primeiro dia de verdadeiro inverno, mandaria, em vez de fazer soar mil sinais escolares, disparar da fortaleza doze salvas de canhão, para anunciar que não haverá aula.

No porão ou no sótão de qualquer escola existem caixotes, material de embrulho, tábuas.

É a festa do primeiro passeio de trenó.

Os bondes param, a circulação dos automóveis é proibida. Nossos trenós com os seus sininhos tomam posse da cidade. De todas as ruas, praças, largos e parques. É a branca festa dos escolares — o dia da primeira nevada.

Esse teria de ser o meu caminho. Mas agora só me resta a escola. Sei que não é culpa dela, mas fico com pena. Pois não é? Será possível ficar cinco horas sentado na carteira, lendo, resolvendo os problemas?

— Professora, caiu neve.

— Não é verdade, professora?

A professora nos acalma docemente, depois com severidade. Impacienta-se, mas não pode negar, porque sente com clareza que temos razão. Porque a neve está aí.

— Professora...

— Fique quieto!

E logo a seguir:

— O primeiro que abrir a boca, que disser uma palavra... Aviso pela última vez...

É uma ameaça.
Então a culpa é nossa outra vez? Somos nós os responsáveis? A culpada não é a neve, mas nós, sempre nós?
Dormimos a noite toda, não vimos nada, podemos até trazer um atestado da família; e a neve caiu sozinha do céu. E se não nos é permitido falar, se é preciso fingir que não vimos nada e nada sabemos, se é feio e condenável saber e estar contente — então, azar. Deixe como está.
Um só foi posto de castigo.
Calo-me junto com a turma. Algumas olhadas inquietas pela janela, e um último olhar de esperança para a professora, quem sabe, apesar de tudo. Depois, o silêncio. E a aula, nada mais.
Não haverá a salva de doze tiros de canhão anunciando a branca festa das crianças.
Alguém diz alguma coisa sem interesse. Abro a minha caixa de lápis e ponho-me a contar quantas penas tenho. Uma, duas, três. Cada uma de uma marca diferente. Uma, duas, três, quatro, cinco. Aqui está uma com ponta quebrada, é provável que nem escreva mais. Tiro-a, experimento; escreve, mas com traço muito grosso.
Onze. Tenho onze penas.
Depois, nada mais. Falam coisas desinteressantes sobre um jovem ou um camponês, sei lá. Bocejo.
— É proibido bocejar na aula.
O vizinho me empurra, me manda levantar. Levanto-me. Adivinho que devo ter bocejado e que é comigo que a professora está falando.
— Sente-se direito, sem encostar.
Sento-me direito, sem encostar. Bocejo às escondidas.
— Faça o favor de olhar para a lousa.
Olho para a lousa, mas vejo pela janela que a neve está caindo outra vez, só que não me importa mais.
Continuo sentado em silêncio.
— Repita.

— Repetir o quê?
— Vá para o canto, de castigo. Está desatento.
Arrasto-me na direção do canto.
— Mais depressa.
Alguém ri. Acontece às vezes na aula que alguém ri sem saber de quê. E acontece até todos os outros rirem a seguir.

As pernas estão doendo. Não doem propriamente, mas estão bambas. É estranho. Eu teria força suficiente para apostar corrida, andar de trenó, de patins. Mas agora não é má vontade, nem teimosia, nem preguiça, nem malandragem de estudante, mas um sincero, honesto, leal e dolorido "não posso". Como se alguém me pegasse e quebrasse como um pedaço de pau.

É um castigo pesado ficar parado no canto. Estou fraco, cansei de ficar sentado tanto tempo, nem conseguia mais me sentar aprumado, sem encostar. E agora tenho de ficar de pé.

Consolo-me: "É melhor ficar de castigo no canto. Se a turma começar a bagunçar, ficarei livre da responsabilidade coletiva".

E eles são bem capazes disso. Sob o torpor do silêncio arde uma mágoa secreta, uma vontade de desforra, à espera de uma senha. Vai ou não vai aparecer um atrevido? Se um tomar a iniciativa, o escândalo será pouca coisa. Estou cansado de saber: conheço o assunto.

Alguém enfia a pena na carteira, aperta, solta, produz um zumbido. A professora não ouviu ainda, mas nós ouvimos, desde a primeira e tímida tentativa. É difícil pegar o responsável, porque enfiou a ponta da pena bem fundo na madeira, e basta apertar um pouco e ela já faz bzzzzz.

O som está mais forte agora.
— Quem está fazendo barulho?
Não há resposta. Mas agora já são dois se revezando.

Quando é que essa aula termina? Não pode durar eternamente. Se ao menos houvesse um relógio na parede. Por que não há um relógio? Por que a professora sabe quanto tempo falta e nos deixa no desespero, sem esperanças?

— Perguntei quem está fazendo barulho. Oscar, é você?
— Eu? Não sei de nada.
— Quem é, então?
— Eu não sei de nada, e a senhora logo me acusa.

A turma desperta da sonolência. As coisas começam a ficar interessantes. Aguardamos um novo zumbido, a essa altura já bem arriscado. A professora já adivinhou a direção. Agora um terceiro vai entrar em ação para despistar a professora. Deve estar retirando a pena da caneta; vai compor uma cara inocente, introduzir a pena na madeira.

— Por favor, todos com as mãos nas costas.

O sinal, finalmente.

Agora vocês entendem por que a escola, ainda que com certo embaraço, exige que deixemos a sala aos pares, as mãos cruzadas no peito. Porque nos levantamos todos — uma multidão, um enxame, um turbilhão — e nos precipitamos na direção da porta.

As portas das salas de aula deveriam ser largas, para casos de incêndio e de dias de neve.

Empurramo-nos uns aos outros, apressados, para não perder nem um minuto, nem sequer um segundo. Para cada um é o salve-se-quem puder, e temos muito caminho pela frente, muitos obstáculos. A porta estreita, o corredor apertado, a escada, o saguão. E é preciso ser o primeiro a chegar no pátio. O jeito é abrir caminho com os cotovelos, os joelhos, o peito, a cabeça, ficar sem fôlego, queimar as mãos no frio da neve.

Pronto: alguma coisa passa voando diante dos meus olhos.

A primeira bola de neve — pafff! — atinge o primeiro que passa, ao acaso. Não há como ficar zangado, pois esta é a mais maravilhosa e luminosa das brincadeiras. E rigorosamente ninguém vai nos impedir. Não ousará, não correrá esse risco.

O zelador sabe que sua escada ficará coberta de lama. Os professores esconderam-se na secretaria e ficam fumando. Fingem que não sabem de nada, porque não ficaria bem. Esses são os nossos dez minutos. E para defendê-los viramos rio de lava, tufão, elemento da natureza.

É uma luta que pode ser à distância e pode ser corpo a corpo. Contra um e contra todos. Um combate sem inimigos, em que não se quer fazer mal a ninguém, mas no qual é imprescindível sair vencedor. Ninguém conta os golpes dados e recebidos, nem verifica o resultado dos tiros ou se ressente dos golpes desferidos pelas costas. O que importa é permanecer até o fim no campo de batalha e resistir à fúria do ataque.

Alguém caiu pesadamente demais; alguém fica examinando o ferimento causado à sua blusa ou sua calça; as primeiras lágrimas aparecem nos olhos.

Não enxergamos as feridas, não nos compadecemos das lágrimas. Só fatores muito mais graves poderiam interromper a brincadeira: quem sabe um vidro de janela quebrado, ou sangue de verdade. Mesmo nesses casos não se sabe se a luta cessaria de vez ou apenas no setor próximo ao acidente.

Não existe plano de combate, não há dirigentes. É cada um contra cada um, cada um por si e contra todos. Confrontos casuais, instantâneos.

Eu e mais dois enfrentamos outro garoto. Já o encostamos na parede. Ele está se defendendo, mas o cerco fica cada vez mais apertado. Já esgotou toda a neve debaixo de seus pés, já não nos atira bolas por falta de tempo, mas se defende com inócua neve em pó. Já nem consegue se abaixar, porque o acostamos peito contra peito.

— Entregue-se!

— Não!

Faz bem. Porque de repente um dos três atacantes, num impulso mal calculado, atira a bola num aliado. Traição, pânico na tropa. Não é bem traição, mas uma senha para nos dispersarmos e partirmos em disparada à procura de acontecimentos mais interessantes.

Fez bem de não se entregar, porque na hora H recebe ajuda de um destacamento de resgate. Uma chuva de bolas atinge a nossa retaguarda, que ficara descoberta. E na confusão o adversário escapa, quase desfalecido, branco da cabeça aos pés, mas invicto.

Um do nosso trio, na pressa, nem consegue fazer uma bola bem formada, e enfia aquilo que deveria ser a bola, mas que na verdade é um punhado de neve solta, na boca de um adversário, ou lhe esfrega a neve na cara, arranhando-o com uma pedrinha que se misturara à neve. Claro que não é permitido, mas como fazer valer os regulamentos no meio do combate?

Lá pelas tantas, dispersamo-nos de repente, sem saber ao lado de quem nem contra quem estávamos lutando.

Os indivíduos e os batalhões se misturam. Aparecem e somem rostos conhecidos, semiconhecidos, vagamente entrevistos e simplesmente desconhecidos.

A luta não é contra o homem, mas contra o tempo. Cada momento deve ser aproveitado; a perda de qualquer fração de segundo é um desperdício. Cada instante deve ser vivido, espremido, sugado até a última gota do gozo do movimento.

Estamos deitados na neve, os dois. Estou por cima. De propósito relaxo os músculos, para dar ao outro uma possibilidade de revanche, de inverter as posições. Só por um momento. Ele entende minha intenção. Então, levantamo-nos depressa e corremos juntos, segurando-nos pelas mãos; ou então escolhemos direções contrárias.

Uma só ambição: a de esgotar todas as possibilidades de situação de combate. Apanhar e absorver o máximo de impressões. Sacudir cada fibra de cada músculo e de cada nervo. Esvaziar o pulmão até a última reserva de sopro. Inundar o coração, pela milésima vez, com a dura onda de sangue.

Somos bem capazes de nos perdermos no nosso gozo todo branco sem uma só mancha escarlate. E nada disso será esquecido. E na fadiga da próxima hora de aula vamos remoer os mais belos momentos isolados das fortes experiências que acabamos de atravessar.

As crianças crescem, não é verdade? Seu corpo e seu espírito amadurecem. Gostaria de provar cientificamente que isso acontece com maior intensidade em momentos de recreio, como esse. Disporia, assim, de um argumento irrefutável.

(Quando eu voltar a ser criança)

O sinal tocou. Não faz mal. Melhor, até. O sinal é um novo impulso para a brincadeira, como a música da banda para a marcha dos soldados. Antes do sinal podíamos, talvez, economizar um grãozinho de forças; mas não agora. Agora, é preciso ir até as últimas consequências, até o fim, até o fundo; pegar as últimas migalhas de força que nos restam e queimá-las todas no derradeiro momento do combate.

Trata-se de uma hora decisiva, perigosa, inconsciente. Não há mais cálculo nem premeditação, então é aí que com maior frequência um vidro é estilhaçado, uma preciosa bola de futebol chutada com muita força acaba se perdendo, uma perna é quebrada. E nessa hora pode até surgir uma inesperada, breve e tenaz briga. Está brigando por quê? Não tem nada de pessoal contra o outro, nenhuma conta antiga a acertar — mas ocorre que o sinal está nos chamando para a sala. O outro te empurrou ou bateu sem querer? Antes do sinal você teria perdoado, ou nem teria prestado atenção; mas agora, depois do sinal, você acusa o golpe, e não tem perdão. Mais tarde, você mesmo vai ficar admirado, envergonhado, arrependido. E os colegas ficarão com pena, chateados por não terem interferido a tempo.

Pois é uma lástima ter deixado estragar essa linda brincadeira. Linda?

Como é pobre a língua dos homens. Vai dizer o quê?

— Corremos, brincamos, perseguimos uns aos outros. Foi gostoso. Só isso.

Se eu fosse o bedel, deixaria tocar o sinal por muito tempo nesses recreios de neve. Enquanto ele está tocando, nós não nos conscientizamos dele, deixamos que seu som se infiltre na brincadeira. Mas quando ele se cala, no primeiro momento de silêncio a brincadeira se torna ilegal, receosa, imprevisível. Rompem-se as filas dos esquadrões, os mais acomodados se retiram, percebe-se hesitação nos movimentos, insegurança nos olhares, perda de autoconfiança, de fé, de certeza. Você sabe que é preciso ceder, mas não deixa de ser uma derrota, uma deserção, uma traição.

Silêncio; mas sobre ele logo se abate o chicote do segundo toque do sinal. E já vem tarde demais.

Corremos para o saguão. Com certeza o funcionário responsável pela limpeza dos corredores tomará a precaução de nos mandar parar.

— Limpem os pés!

E aí alguém arremessou a última bola de neve, dura e bem amassada, contra a multidão reunida em torno do portão. Quer a mão do atirador tenha tremido, ou sua mira tenha falhado, ou um oculto desejo de vingança tenha perturbado a trajetória do projétil — o fato é que, em vez de nos atingir, a bola bate na janela.

Quando voltar a ser adulto, vou agitar enfaticamente essa questão perante a opinião pública; vou colocá-la na ordem do dia: quantos vidros temos o direito de quebrar por ano? Você dirá: nenhum. É uma insensatez. Você mesmo não acredita.

Parece que o vidro foi inventado pelos fenícios. E desde então, ao longo de tantos séculos, não foi possível inventar algo mais resistente? O que será que os químicos estão fazendo? E os físicos, nos seus laboratórios? Será que não existe mesmo outra coisa?

Não é permitido quebrar os vidros. Mas a culpa é dos outros, não nossa. Devemos, então, ficar petrificados, imobilizar-nos em atitude de horror? Esperar a desgraça? Por que eu, inocente, devo esconder-me, fugir do local do crime? Por que todos os casualmente presentes são transformados em infratores?

Por que após esse recreio de cinco minutos — bem, digamos, de seis minutos — preciso enfrentar o olhar ameaçador e a cruel pergunta:

— Quem foi?

— Não fui eu.

E, por mais que esteja dizendo a verdade, sinto-me como se estivesse mentindo. Seria mais correto dizer:

— O acaso fez que não fosse eu.

Sei que existem indícios. Minha roupa coberta de neve me acusa. Joguei bolas de neve, como os outros, como todos. Pois isso é permitido. Sei lá se é. Quem sabe não é? Tenho pressa de chegar na sala de aula, quero chegar a tempo, hei de chegar a tempo. Ou será que não? Talvez eu seja mesmo culpado, porque não corri logo ao primeiro toque do sinal. Mas quem é que pode correr assim de repente, de uma só vez?

— Não fui eu.

Joguei algumas bolas inocentes, de acordo com a lei. Algumas? Não sei quantas. Deve-se contar só aquelas bem-acabadas, amadurecidas, geometricamente perfeitas, ou também as semibolas, os quartos de bola, preparados e arremessados às pressas?

Mas tem aquele mentiroso desprezível que diz:

— Eu só joguei duas bolas. E joguei lá longe.

Trapaceiro, velhaco, mentiroso.

Estamos todos solidariamente mergulhados na desgraça. Sentimos que até o sujeito mais azarado de todos nós é inocente, pois na verdade quem quebrou o vidro foi o acaso. O vidro não foi quebrado por quem o quebrou, nem por ninguém. É o que estamos sentindo, e sob pena de desonra não é lícito dizer nada além de um sucinto:

— Não fui eu.

E mesmo isso a contragosto. Não só a contragosto, mas sob coação. Pois, na verdade, respondam: será que não nos é mesmo permitido quebrar um só mísero vidro? E se nos é permitido quebrar um único por ano, esse único não deveria ser o que acaba de ser quebrado agora? Sei que não responderão, porque não conhecem a neve, não a entendem. Nem estão interessados em conhecê-la; a menosprezam.

Direi então:

Uma pessoa atravessa na vida poucos recreios como esse de hoje. Às vezes se passa um inverno inteiro sem sequer um recreio desses. Porque o tempo não pode estar frio demais, caso contrário a neve estará seca, inadequada para fazer bolas. Também as mãos ficam congeladas demais. A neve precisa ter umidade e profundidade. Mas se a temperatura for mesmo quente, a neve derrete. É bom que ela tenha caído durante a noite ou de madrugada, para não dar tempo ao

———(Janusz Korczak)———

pessoal da limpeza urbana de recolhê-la. Deve ser uma neve fresca e intocada, para não conter pedaços de gelo nem torrões de terra. Nós, os conhecedores e cultivadores da neve, sentimos tudo isso no fundo da nossa alma.

Sabemos que estão insatisfeitos conosco. Às vezes com razão. É verdade que gostamos de ficar pulando em cima do sofá. Vocês dizem que isso estraga o sofá, que as molas quebram. Mesmo que não seja de uma só vez, na hora. Se ninguém pula no sofá, ele pode durar dezenas de anos. Acreditamos que seja verdade, embora — tendo nascido há apenas uma década — não estejamos em condições de averiguar.

Não nos deixam abrir nozes esmagando-as na porta. A porta estraga, dizem. Não deixa de ser estranho. A porta faz parte da casa. As casas são altas, sólidas, duram séculos. Enfim, admitamos. Tampouco permitem que nos balancemos pendurados nas maçanetas: mesmo feitas de ferro, as maçanetas podem quebrar. Estranho mesmo. Estamos vivos há pouco tempo, ainda estamos olhando em volta. Mas vocês são bem estranhos, o mundo inteiro é estranho. Não os acusamos, porém, de estarem agindo de má-fé. O ferro vai quebrar? Tudo bem.

A roupa rasga? É, infelizmente.

Os vidros quebram. A qualquer pretexto. Quebram sozinhos; não somos nós. O mundo é duro, irredutível. Caí no chão, bati na parede, esbarrei no parapeito da janela, no armário, na mesa, na ponta aguda de um móvel qualquer: dói; às vezes, dói muito.

E de repente o bom Deus pensa em nós, crianças e, em nosso benefício reveste a terra com um tapete branco, assim como um pássaro recobre o ninho de penugem para acolher os filhotes recém-nascidos. No inverno não existe grama, nem voltará a existir tão cedo. E, quando voltar, haverá uma cerca em volta e não será permitido pisar em cima. Já com a neve se pode fazer o que se bem entende.

Existem bolas de neve inocentes, existem as maldosas, existem as de combate franco — como balas de fuzil — e existem as traiçoeiras, tal qual munições dundum, proscritas pelas normas humanitárias da

guerra. Há os obuses, as bombas, as granadas. E para vocês nada disso passa de simples bolas de neve que quebram vidraças. Azar: é a guerra.
Por acaso mesmo, não fui eu.
— Quem foi, então?
Dou de ombros:
— Não sei.
É verdade que não sei. Mas mesmo quando sei, também não sei. No máximo me parece que foi ele. É provável que mais tarde, após uma tranquila investigação e reflexão, eu venha a saber. Mas não tenho mesmo certeza absoluta de que foi ele, só ele, e seguramente mais ninguém.

Pois o sinal já tinha tocado, e eu vinha correndo, atrasado.
Cansado, alegre e assustado. Posso não ter visto bem.
Havia dois garotos parados. Deve ter sido um deles. Um rosto passou voando na minha frente e sumiu. Quem sabe foi justamente esse terceiro? Ou se tratou de uma bola perdida? Para fixar o quadro precisa-se de tempo; mas o professor quer saber já.

Deixo que outros colegas falem. Estavam talvez mais perto, viram melhor.

Lá estamos, nessa longa, pesada, insuportável espera. Só queria saber em que situação uma coisa parecida pode acontecer a um adulto. Ocorre-me apenas uma hipótese:

Numa passeata da qual estou participando, ouve-se de repente um disparo. A polícia nos cerca: quem foi que atirou? Mas então, sendo eu inocente, sei que haverá um inquérito, que todos os prós e contras serão devidamente pesados. Já os nossos problemas são liquidados de qualquer maneira. Por que será? Por que somos tão frequentemente injustiçados? Por que é permitido castigar injustamente uma criança, e isso é considerado coisa sem importância, e ninguém se responsabiliza perante ninguém por tal injustiça?

A aula de religião passou sem incidentes.
Fiquei pensando no caso de José, a quem o faraó jogou na prisão. José interpretava os sonhos. Mais tarde, as coisas se arranjaram bem

para ele; mas como deve ter sido duro ser vendido pelos próprios irmãos, acusado maldosamente e passar longos anos acorrentado num calabouço escuro. Eu só fiquei de castigo no canto alguns minutos, e como sofri! Estava na sala de aula, que tem janelas, e sabia que só ficaria lá até o sinal bater. Por que não sabemos que aspecto tinha a prisão egípcia, nem quanto tempo levou o sofrimento de José? Tenho pena de José, quero que a minha compaixão esteja à altura do que ele merece, mas não sei. Antes quis saber tudo sobre os esquimós, agora sobre José. Tenho muitas perguntas; por que os adultos não gostam das nossas perguntas? Essas coisas se passaram há muito tempo, em terras longínquas, então pode ser que eles também não saibam. Por que será que os adultos não gostam de reconhecer que não sabem? Consultam livros ou perguntam a alguém que sabe mais do que eles. Ou então não sabem, mas deduzem. Para eles é mais fácil.

Antigamente, na escola, não havia material audiovisual. No meu tempo não havia nem cinema. Como é pobre a infância sem cinema. Falam de montanhas, oceanos, guerras antigas, tribos selvagens. E dentro da gente cresce o desejo de ver tudo isso. Agora, saindo da sala escura do cinema, pode-se pelo menos dizer:

— Estive lá e vi.

Meu devaneio é interrompido pelo rumor da sala. Estamos descansados outra vez, e ansiosos pelos doze tiros de canhão.

Só agora estou com dor nas costas. O golpe que recebi deve ter sido forte. Mas uma dorzinha dessas até que é agradável. É como a cicatriz que o pai mostra ao filho. Uma dor indolor e orgulhosa, da qual se diz:

— Não é nada. Bobagem.

Viro o rosto, olho para João, em quem dei uma pancada na testa que derrubou seu boné. Ele sente o meu olhar. Sorri, e com o brilho dos olhos responde: "Não esqueci, não. Mas espere só: daqui a pouco começa tudo de novo. Não há perdão".

Não sei se nós sorrimos com mais frequência que os adultos. Mas é certo que os sorrisos deles pouco dizem, enquanto nós compreendemos perfeitamente os nossos; às vezes, pode-se dizer mais com um sorriso do que com uma palavra.

Olhar expressivo, sorriso expressivo. É provável que eles saibam, por isso nos proíbem de olhar um para o outro e de sorrir na sala de aula.

Quando eu voltar a ser professor, tentarei me entender com os alunos. Para que não haja dois campos inimigos: de um lado a turma, do outro eu e alguns puxa-sacos. Procurarei introduzir sinceridade.

Por exemplo, num dia branco como este, dia de primeira nevada, vou bater palmas e dizer:

— Que cada um guarde bem lembrado o que estava pensando neste momento. Quem tiver vergonha de dizer, pode dizer que não quer, para ninguém se sentir constrangido.

Da primeira vez, não vai dar certo. Mas vou insistir sempre que perceber que a turma não está prestando atenção.

E indo de um a um.

— Em que você estava pensando? O que é que você estava pensando?

Se alguém disser que estava pensando no assunto da aula, perguntarei:

— Não está me tapeando?

Se alguém sorrir e eu perceber que ele não quer falar, direi:

— Não quer falar na frente dos outros? Mas quem sabe fala no meu ouvido? Ou então me dita no recreio, para eu anotar?

Eles vão ficar admirados:

— Para que o senhor quer saber?

Explicarei então:

— Quero escrever um livro sobre a escola. Para que todos se convençam de que nem sempre é possível prestar atenção na aula. Quem sabe no inverno os recreios devessem ser mais longos, quem sabe num dia de céu claro os alunos se cansem mais depressa. Muita gente escreve livros sobre a escola. E sempre propõem coisas novas, para as condições melhorarem para as crianças e os professores. Porque vocês um dia vão se formar e vão embora, mas nós continuaremos indo à escola a vida toda.

Eles ficarão espantados, porque nem lhes passa pela cabeça que o professor também vai à escola e também passa muitas horas na sala de aula. Então conversaremos sobre o que cada um quer mudar. Direi que as doenças mais comuns que os professores pegam são as da garganta e dos nervos. E explicarei por que somos tão nervosos.

E quando todos tiverem dito francamente em que estavam pensando na aula, farei uma brincadeira:

— Muito bem: os que não estavam prestando atenção ganham um zero.

— Ei, professor, que tapeação!

E eu:

— Não fica bem acusar o professor de estar tapeando.

Eles:

— Por quê?

Explicarei pacientemente. E continuando:

— Quem sabe, então, dou um zero a quem estava pensando no assunto da aula?

Uns vão gritar logo:

— É isso mesmo, muito bem, faça isso.

Mas outros:

— Por que nós, se estávamos prestando atenção?

Eu direi:

— Não estavam prestando atenção coisa nenhuma.

— Como não?

— Porque hoje é dia da primeira neve, e vocês não prestaram atenção.

— Ué, mas neve não é aula.

— Então, hoje não dou zero a ninguém?

— Nem hoje nem nunca.

— Mas sem dar zero nunca fica difícil.

— É, mas ganhar zero é chato.

— E dar zero não é? O professor prefere sempre dar um dez.

— Então que dê sempre dez.

(Quando eu voltar a ser criança)

— E pode?
— Sei lá. Não deve poder.
E assim a brincadeira continuará até o fim da aula.
Vejam só que coisa estranha. Quis ser criança, e agora fico outra vez pensando no que farei quando me tornar adulto. Parece que as coisas não são fáceis nem para as crianças, nem para os adultos. Uns e outros têm suas preocupações e tristezas.

Bom seria, quem sabe, o sujeito ser alternadamente grande e pequeno. Assim como existem inverno e verão, dia e noite, sono e vigília. Desse modo, ninguém estranharia ninguém, e adultos e crianças haveriam de se entender melhor.

No recreio seguinte a brincadeira foi mais calma. Combinou-se antes quem brincaria com quem. E a neve estava toda remexida, era difícil fazer bolas. Bem que alguns tentaram, mas a maioria ficou brincando de trenó. Um garoto atrás, o cocheiro; dois na frente dele, os cavalos. E os outros em fila, que nem corpo de bombeiros, bloco de carnaval ou batalhão de artilharia. Cada um pensa em outra coisa, mas todos apostam corrida para ver quem tem os melhores cavalos, o melhor carro.

De início havia ordem, mas logo começou a confusão. Começaram a trombar uns com os outros. Causaram um desastre de trem. Caiu um monte de gente, e todos começaram a se empurrar. Sempre aparece algum maluco e alguém acaba chorando. Um teve a mão pisada, outro levou um chute, e a botina tinha um ferrinho na ponta da sola. Para completar, ficou tão amassado que não conseguia respirar.

Nem todos nós gostamos de fazer bagunça. Não mesmo. Às vezes preferimos nem brincar com o selvagem que costuma empurrar e bater. Um sujeito desses, a gente o cutuca de brincadeira e ele responde com uma pancada pra valer, pra doer mesmo: bate no osso, ou com o punho fechado. Não toma cuidado, empurra, se agita, rasga a nossa roupa. Parece transtornado.

Quantas vezes a gente está com vontade de brincar, mas acaba dizendo:

— Não quero.
Porque ele está presente.
— Ou ele, ou eu.
Deixe o pessoal escolher.
Às vezes o pessoal tem medo de dizer francamente, porque o sujeito é capaz de implicar, xingar, chatear. É melhor até:
— Não quero brincar.
Se eles perceberem o motivo, tanto melhor; caso contrário, azar.
Mas é desagradável.
No pátio do nosso prédio a gente já sabe quem são os selvagens, mas aqui é impossível conhecer a escola inteira, então esses casos delicados ocorrem com maior frequência. E nem se tem tempo para combinar as coisas.
Quando alguém propõe uma determinada brincadeira que agrada, todos ficam atrás dele. Como se ele tivesse dado uma senha. E há de se reconhecer que os malucos — porque os chamamos de malucos — costumam ter boas ideias, só que não sabem executá-las.
É verdade que nós também damos trombadas, fazendo de conta que é o bonde que bate no automóvel, ou que dois aviões se chocam. Mas são batidas de um contra um, e sempre de lado.
Ficamos, pois, correndo um atrás do outro, ou fugindo um do outro, mas quando um trio de malucos se aproxima, saímos do caminho e paramos.
— Passem, passem, não queremos.
Dois automóveis desembestados circularam durante todo o recreio.
O nosso trio estava bem ajustado. Só que um cavalo levou uma pancada na cabeça, porque estávamos fugindo de um automóvel desembestado, e outros vinham investindo de outro lado. Não tive tempo de me esquivar e — pam! — bati na cabeça dele. Nem chorou, só que não quis mais ser cavalo.
Um botão meu caiu, mas o achei e guardei, para prendê-lo em casa.
Num determinado lugar, e só nesse, houve um bombardeio. Para atravessar a linha de tiro, tem que ser a galope.

(Quando eu voltar a ser criança)

Quem não brinca não pode entender. Porque não importa a corrida, mas aquilo que acontece dentro da gente. Jogar cartas ou xadrez, por exemplo, o que é? É colocar pedaços de papel na mesa, ou deslocar pedaços de pau. E dançar, o que é? É ficar girando em volta. Só quem joga ou dança é que sabe.

Não se deve menosprezar a brincadeira, nem atrapalhá-la, nem interrompê-la bruscamente, nem impor uma companhia desagradável.

Se eu sou o cocheiro, quero ter cavalos de tamanho igual, nem altos nem baixos demais, alegres mas obedientes, inteligentes, espertos. Se eu sou o cavalo, não quero ter um cocheiro bobo ou brutal. Pois quem determina a velocidade da corrida sou eu, e não quero que me puxem, batam ou empurrem. Como cavalo, sinto uma coisa; como cocheiro, outra. E vocês, o que sabem de tudo isso? Que relinchei, fiquei mexendo impacientemente as patas no mesmo lugar ou gritei: "Eeeeiaaaaaaaaaa!"

Se sou bombeiro, fico procurando fumaça, olho para os lados, para cima, apresso-me de uma maneira diferente de quando sou artilheiro e corro com o meu canhão para ocupar uma posição estratégica. Diante do corpo de bombeiros, todos abrem caminho, já a artilharia serve de alvo ao inimigo. Sondo o terreno, desconfiado, para não cair numa armadilha. Quando dirijo uma ambulância, fico me perguntando se vamos apanhar uma criança atropelada, um suicida, um envenenado, um enforcado. Correr por correr, à toa, não tem graça.

Mas é importante também, para gastar as energias, preparar-se para mais uma hora na sala de aula.

Bom, acabou a escola. Vamos para casa.

Não sei se hoje também devo voltar com Mundinho. Quando se começa a andar junto com um outro, e o caminho dos dois é o mesmo, é preciso continuar sempre. E isso pode se tornar desagradável, mas fica difícil desgrudar um do outro; só ficando de mal — ou até partindo para a briga — para se ficar sozinho outra vez e passar a caminhar com outro. Existem aqueles com os quais ninguém quer andar, então todo dia tentam grudar em alguém. Existem também os que preferem voltar para casa sozinhos, mas são raros. Tem os que gostam de andar em grupo grande. O mais comum é andar a dois ou três, geralmente sendo dois amigos e o terceiro, o convidado; ou então ele se aproxima e nós examinamos de quem se trata. Existem os ciumentos, que não gostam que haja um terceiro. Estes, muito desagradáveis, dão a impressão de que nos compraram com exclusividade.

Chato é quando um garoto quer acompanhar outro e esse outro já se cansou dele, ou quer escolher outra companhia. É preciso sair da escola às escondidas, para evitar o encontro. Se o garoto for um desses que percebem as coisas, irá embora sozinho. Já outro é capaz de armar um escândalo, revelar os segredos, inventar mentiras, e de pseudoamigo se transformar no pior inimigo.

Nem sempre aquele com quem voltamos da escola é necessariamente nosso amigo. Pode acontecer de o amigo morar num outro bairro, de modo que os caminhos se separam logo — não dá nem para caminhar um pedacinho juntos. Portanto, amigo é uma coisa e aquele com quem se gosta de voltar da escola é outra. Mas o amigo é sempre como um irmão, e até mais. Só que o irmão a gente conhece melhor, não há como se enganar. Já a amizade se faz através de palavras, você pensa que fulano é o que ele diz que é, mas se ele for falso pode haver engano. Ele é uma coisa na nossa frente e outra coisa diferente longe dos nossos olhos; ou então diz uma coisa e faz outra. Se você tem um irmão que não é como você quer, não tem saída: pode brigar com ele, mas no fim vão ter de fazer as pazes. Já no caso do pseudoamigo é possível separar-se para sempre.

Quando fui criança pela primeira vez, tive diversos amigos. O primeiro foi meu amigo durante um ano, mas só gostei dele alguns meses; depois, vi que queria me levar para o mau caminho, então fiquei esperando que me deixasse em paz. Mas que nada. Até que ele teve de repetir o ano, e foi assim que me livrei dele.

O segundo também não era grande coisa, mas foi mais fácil afastar-me dele. Dei-lhe uns presentes, emprestei-lhe cinquenta ou sessenta centavos e assim, de certa forma, resgatei minha independência.

(Quando eu voltar a ser criança)

Depois, durante muito tempo, tomei precauções. Vários tentaram se aproximar; eu ia com eles uma, duas vezes, depois dizia que precisava fazer uma compra antes de ir para casa, ou que havia esquecido a caneta e precisava voltar para a escola, ou então preparava todas as minhas coisas antes de o sinal bater, aí era só pegar o casaco e sair correndo. No dia seguinte, o sujeito perguntava:

— Você sumiu ontem? Fiquei esperando, procurando.

E eu:

— Sei lá. Voltei para casa sozinho.

Até que arranjei um amigo. Amigo de verdade. Daqueles que quando faltam a gente fica triste. E quer sentar ao lado dele. E não brinca sem ele no recreio. Mas ele faltava muito, cada vez mais. Não fazíamos nenhuma brincadeira na rua, porque ele andava devagar.

E os outros colegas comentavam:

— Você não acha fulano chato? Fica se arrastando. Um molenga. E vive beijando as meninas.

Não era molenga coisa nenhuma, era é doente do coração. E também não vivia beijando meninas, só que tinha uma prima. Nós já éramos grandes, quarto ou quinto ano, e ela ainda estava no segundo. Às vezes a encontrávamos e eles se beijavam. Uma pirralha, e ainda por cima prima em primeiro grau. O que é que tem?

Houve ainda outro, que estava dois anos na minha frente. Pode acontecer de um aluno mais velho conhecer um mais novo e eles passarem a fazer o caminho de casa juntos, quando coincide de as aulas dos dois acabarem na mesma hora. Mas um dia ele me mandou esperar e foi andando e conversando com um colega dele, como se não estivesse me vendo. Fiquei zanzando por perto, sentindo-me jogado para escanteio. Quando vi que ele estava muito ocupado, atravessei a rua e fiquei do outro lado esperando que ele perguntasse por que eu estava indo embora. Mas ele nada. Não fiquei ofendido, mas pensei: "Não preciso dos favores dele". E foi assim que acabou.

Estou bem lembrado de tudo isso, e agora já tomo meus cuidados. Prefiro esperar até achar alguém que não seja só para andar para

(87)

baixo e para cima, mas com quem se possa também conversar sobre diversas coisas. Não somente sobre a escola, mas em geral.

Vou andando, pois, e Mundinho me alcança no meio do caminho.

— Procurei por você na escola — anuncia.

Não respondo. Caminhamos lado a lado. E ele pergunta:

— Quem sabe você não quer andar comigo?

Percebo que ele tem noção das coisas, porque outro qualquer nem teria perguntado. Digo:

— Quero, sim.

Ele me olha com atenção, para ver se era verdade ou só da boca pra fora. Sorrimos.

— Quer apostar corrida com o bonde?

— Imagine se vou querer correr atrás do bonde todo dia. Também já corri bastante no recreio.

Paramos na frente da vitrine de uma loja.

— Veja que compassos lindos. Olhe só este, a que se pode acrescentar uma peça a mais, para fazer círculos bem grandes. E este que funciona com tinta. O que acha, quanto será que custa o estojo? Você queria ter? Olhe, tem tinta dourada. Olhe o tinteiro pequeno, é para viagem. Preciso comprar um pincel, mas não vou comprar aqui. Fernando comprou um na esquina e já está usando há um mês, e do meu o pelo saiu logo. São uns ladrões. Se te deixassem, o que você escolheria da vitrine toda? Se deixassem escolher uma coisa só? Eu pegaria o estojo de compassos e esse bonequinho aí.

— Mas aí seriam duas coisas.

— Então só o estojo de compassos.

Na loja vizinha escolhemos um tablete de chocolate, tamanho grande, para o caso de nos deixarem pegar. Depois, ele escolhe um vaso de flores para a mãe dele, e eu, uma boneca para Irene.

Na vitrine da joalheria, ao lado dos anéis e broches com pedras preciosas, há também relógios. Não somos escravos da cobiça. Fixamos o olhar nos relógios e deliberamos longamente sobre as vantagens e as desvantagens dos relógios de pulso e dos de bolso, com corrente.

(Quando eu voltar a ser criança)

Nós, crianças, somos diferentes de vocês, adultos. O valor mercantil de um objeto pouco nos importa. Conhecemos os objetos necessários e os desnecessários, e estamos sempre dispostos a trocar uma coisa cara mas indiferente por uma que temos muita vontade de possuir.

Se quisessem se inteirar das nossas transações comerciais, perceberiam que tapeação, na nossa linguagem, tem outro sentido.

Quando eu era criança pela primeira vez, ganhei de presente um par de patins de gelo. Naquele tempo, os patins ainda eram um objeto raro, valioso. Pois troquei os patins por um estojo de cerejeira para lápis, arredondado, com um cachorrinho desenhado em cima. O cachorrinho tinha perdido um olho, mas era muito simpático. O estojo de lápis a gente usa todo dia, e os patins só de vez em quando, e o inverno daquele ano era suave, não havia gelo. Quando meus pais souberam, passaram-me uma descompostura. Tive de desfazer a troca. Fiquei muito envergonhado, pois se os patins são meus, eu deveria ter o direito de fazer com eles o que bem entendesse. Se eu prefiro um estojo para lápis, de madeira perfumada e com um cachorrinho cego em cima, ninguém tem nada com isso. O colega absolutamente não queria me tapear, eu sabia que os patins custavam mais, mas o que eu queria mesmo era o estojo. Pois então: o viajante no deserto não trocou uma sacola de pérolas por um jarro cheio de água?

Durante muito tempo ficamos trocando ideias sobre o que escolher da vitrine da marcenaria. Cada um de nós queria ter uma mesinha com gaveta que fecha à chave, mas será que teríamos permissão para colocá-la no quarto? Ou, então, alguma coisa de presente para os pais. Mas deve ser gostoso a gente ter uma mesinha só nossa, ainda que pequena.

Começamos a contar como cada um vive em casa, e Mundinho comenta que se sente infeliz, porque o pai dele bebe.

É uma terrível desgraça ter pai alcoólatra. Os alcoólatras deveriam ser proibidos de se casar. Depois, quem sofre são a mulher e os filhos.

— Antes do dia de pagamento é sempre aquele medo: será que o pai traz o dinheiro para casa, ou será que vamos passar fome a sema-

na inteira? E veja só que prazer pode ser esse: quando está bêbado, não sabe o que acontece com ele, e depois que dorme, fica com vergonha e com dor de cabeça.
— E você não pode pedir para ele parar?
— E adianta? Você acha que a mamãe não vive chorando, gritando e amaldiçoando? Ele promete, mas depois faz a mesma coisa. Que nem criança.
— Mas e se você o convencesse com muita gentileza?
— Tenho vergonha. Uma vez, fomos para o campo, para a casa do pai de um colega. O pessoal ficou bebendo, mas o pai disse que não queria, porque tinha jurado à mamãe que não ia mais botar uma única gota de vodca na boca. Mas quando começaram a insistir para ele tomar pelo menos um copinho, puxei-o pela manga, porque sabia que tomando um ia tomar vários outros. Então, ele se levantou e disse: "Venha, vamos para o rio". E fomos andando. E as cotovias cantando, e o trigo parecia se inclinar diante de nós, e o sol brilhava, e tudo era bonito, gostoso. Papai me segurava pela mão. Nós nos sentamos na beira do rio, eu com a mão sempre na dele. De repente, a mão dele deu um tremelique, como se tivesse encostado numa urtiga. Eu disse: "Está vendo, pai, é melhor não beber". Ele olhou para mim e eu quase morri de vergonha, e fiquei com uma pena enorme dele. Porque o olhar dele era tristonho demais. Sabe quando, às vezes, um cachorro olha para a gente pedindo alguma coisa, ou com medo de apanhar? Sei que um homem é uma coisa e o cachorro, outra, mas foi o que me passou pela cabeça. Por nada no mundo repetiria a mesma coisa para ele. Pois veja: o pai parece que adivinhou, ficou olhando para a água, olhando, olhando, e disse: "Vida de cachorro, meu filho". E suspirou. E eu quis beijar a mão dele, como se fosse para pedir desculpas, mas ele segurava minha mão com força, eu não conseguia mexê-la. Não sei se papai estava magoado, ou quem sabe pensou que era indigno de ser beijado. Depois, ele não voltou mais para junto das outras pessoas, só me pediu para apanhar a sua bengala e dizer que ele estava com dor de cabeça. Não queria

que zombassem dele. Na viagem de volta, no trem, comprou umas rosquinhas. Não comi nenhuma, dei todas para o meu irmãozinho. Queria até comer algumas, para papai não pensar que eu estava fazendo pouco caso. Mas não consegui: sentia um aperto na garganta. Depois disso, ele deixou mesmo de beber um bom tempo, acho que um mês; mamãe já achava que tudo estava bem. Mas disseram para ela que quando alguém deixa de beber e anda desanimado, nada feito; só quando deixa de pensar no assunto e volta a ficar de bom humor é que a coisa vai mesmo. Mas ouça: você não vai contar a ninguém na escola, não é? Você é o único a saber. Não vai contar mesmo que a gente brigar, promete?

— Por que é que a gente vai brigar?

— Sabe como é: a gente entra em desacordo por qualquer coisa, e aí briga.

Conversamos ainda um pouco sobre como há pessoas diferentes no mundo: um bebe, outro não gosta de trabalhar, um terceiro rouba, um gosta de uma coisa, outro de outra. Gosta ou não gosta.

Tem uns, por exemplo, que não gostam de cortar as unhas. De unha cortada ficam irritados. Usam, então, unha comprida, ou então vivem roendo as unhas.

Ou então aparecem umas bolinhas nos dedos, que ficam doloridos. Ou manchinhas brancas nas unhas: o que será?

Uns dizem que é a sorte que floresce; outros, que é sinal de que alguém tem inveja. É sempre assim: um vai dizer uma coisa, outro outra, e como você vai saber depois em quem acreditar? É impressionante a quantidade de mentira que há no mundo.

Ficamos falando assim por muito tempo, eu até cheguei atrasado para o almoço, porque o levava até a casa dele, ele me levava até a minha, íamos e voltávamos. Era agradável caminhar conversando, porque em todo lugar tinha neve e mais neve. Foi por isso que cheguei atrasado. Mamãe logo começa a gritar comigo: por que foi que cheguei atrasado, por que fico zanzando tanto na rua, que ela está farta de cozinhar e lavar louça, que estrago os sapatos, que se eu fosse menina ia ajudar, que ela vai se queixar na escola, que quando crescer vou virar malandro, que Irene devia ser a mais velha e eu o caçula, que ela, mamãe, vai morrer por minha causa. Fico parado e não entendo nada.

Se cheguei atrasado, posso muito bem comer um almoço frio, ou não comer nada, ou lavar eu mesmo a minha louça.

Mamãe botou a comida na mesa, mas estou sem vontade de comer. Mamãe fica ainda mais irritada:

— Vê se come logo! Não me venha com frescuras e não me toques.

Não quero piorar a situação e começo a comer. Mas os pedaços ficam parados na garganta, não consigo engolir. Rezo a Deus para o almoço acabar logo.

Só mais tarde, à noite, soube que as traças estragaram um vestido de mamãe. Vai ter uma festa de aniversário, e eis o vestido inutilizado pelas traças. Mas então as crianças devem ser responsabilizadas até pela ação das traças?

Mas o que mais doeu foi a injustiça. É melhor até não saber por que motivo os adultos estão irritados quando gritam conosco. Você sente que alguma coisa lhes aconteceu, mas acaba procurando a culpa em si mesmo, até achar.

Me sentei no meu canto para fazer os deveres. Chego a ter medo de um dos meus colegas aparecer e tudo começar de novo: "Vá, vá gastar os sapatos, os coleguinhas estão chamando!"

Adivinhei: alguém bateu na porta, mas de leve, e uma só vez. Pois não é que mamãe ouviu?

— Não se atreva a sair! Faça os deveres!

Fico fazendo, é claro. Nem tenho vontade de sair.

Me vem a sensação de que estou no campo, sozinho, de noite, faz frio, não há ninguém, estou descalço, com fome. Os lobos uivam. Fico duro de frio e de medo.

Que estranho é o homem. Está todo contente e de repente fica triste. Não tenho certeza, mas parece que os adultos ficam de mau humor mais vezes do que tristes. Mas pode ser que no íntimo estejam

silenciosamente tristes, e aí ficam de mau humor com as crianças. É raro a gente comentar a respeito de um professor:
— Ele hoje estava triste.
Mas quantas vezes, infelizmente:
— Ele estava de mau humor.

As crianças choram mais vezes do que os adultos, e não é por frescura, mas porque sentem as coisas mais profundamente, sofrem mais.

Por que os adultos não respeitam nossas lágrimas de criança? Eles pensam que em geral choramos por causa de tudo e de nada. Mas não. A criança pequena berra porque é a única defesa que ela tem: vai armar um escarcéu, aí sempre alguém aparece, presta atenção, socorre. Ou então ela berra de puro desespero. Mas nós choramos raramente, e não pelas coisas mais importantes. Quando a dor é muito forte, só aparece uma lágrima, e acabou. Também com os adultos acontece que na grande desgraça as lágrimas secam e esfriam de repente.

O mais raro é a gente chorar quando os adultos brigam conosco sem razão. Abaixa-se a cabeça e pronto. Às vezes eles perguntam, e você não responde. Às vezes quer responder, mas só mexe os lábios, e não sai nada. Eles dizem que é teimosia. Em certos casos, é verdade, explode uma espécie de obstinação, um tanto faz: deixe bater, assim tudo acaba logo. Você dá de ombros ou resmunga algo baixinho. E pela sua cabeça circulam os piores pensamentos e palavras feias. Aí você nem leva em consideração que se trata do professor, ou do pai. É provável que a cabeça esteja vazia, mas o peito cheio de desespero e de raiva.

Muitas vezes você nem escuta o que eles gritam, não entende uma só palavra. Nem sabe o que querem. Só ouve um vago zumbido, e a cabeça fica tonta.

Ou então eles te puxam, empurram ou batem. Ora batem, ora puxam pela mão e pensam que não batendo não dói. Aquilo que eles chamam de surra é nada mais nada menos do que tortura. Seguram a criança, batem como se ela fosse um criminoso, com o cinto; e ela tenta se soltar e berra:

— Não faço nunca mais, não faço nunca mais!

Esse tipo de castigo — hoje talvez mais raro, mas que continua existindo — deverá ser no futuro motivo de condenação criminal. Não sei o que sente aquele que bate nem a criança que apanha. Mas sei que o fato nos inspira nojo, indignação e horror. Um cavalo merece mais compaixão do que um ser humano.

Vocês pensam, quem sabe, que nós também batemos um no outro. Mas nossas mãos são pequenas e nossa força é pouca. E, mesmo tendo a maior raiva, nunca batemos de modo tão sanguinolento. Vocês não sabem como são as nossas brigas. Sempre testamos antecipadamente quem é o mais forte e dosamos a força de acordo com a idade e a capacidade de resistência. Eu avalio o adversário, ele me avalia. E quando um consegue imobilizar o outro, de tal modo que ele não pode mais se mexer, tudo para logo. Só quando alguém nos perturba sobremaneira é que podemos às vezes bater com muita força. Ou, na confusão de uma briga, dar uma pancada no nariz, e o nariz sempre sangra muito.

Mas nós sabemos o que significa o verbo doer.

(Um médico imbecil declarou que as crianças nos reformatórios para menores delinquentes sentem menos. Gostaria de medir a sensibilidade dele dando-lhe cinquenta boas chicotadas. É uma vergonha que teses eruditas como essa sejam defendidas por um compatriota nosso, ainda por cima um médico.)

Fico sentado, refletindo sobre aquilo que sabia antigamente e o que sei agora. E sinto cada vez mais pena por sermos tão pequenos e fracos. Mas sobretudo pena de Mundinho, porque o pai dele bebe.

Fatalmente nos tornaremos amigos. As coisas vão mal para ele, e para mim também. Que haja então fraternidade entre nós. E ele é responsável pelo meu sofrimento deste momento, porque foi por culpa dele que cheguei atrasado para o almoço.

Senti um calorzinho nos olhos e logo afastei o caderno, para não molhar a página com o problema que estava resolvendo. Mas não: as lágrimas entraram pelo nariz adentro, não caíram.

(Quando eu voltar a ser criança)

Eis que Irene se aproxima. Fica parada à distância, olhando. Eu olho para ela de soslaio, porque não sei o que ela quer. Não diz nada, dá mais um passo na minha direção, fica parada em silêncio. Fico na expectativa, vejo que ela segura alguma coisa e a transfere a toda hora de uma mão para outra. Sei que uma coisa boa vai acontecer, e a ternura me penetra o coração. Há silêncio dentro de mim. Então Irene me estende a mão com um presente, um vidrinho cortado de tal modo que quando olhamos através dele tudo aparece em várias cores. Ontem eu o pedi emprestado e ela nem me deixou olhar, mas agora diz:

— Tome. É para sempre.

Não garanto que ela disse "tome", porque não ouvi bem. Só ouvi mesmo:

— É para sempre.

Ela o disse baixinho, delicadamente, de uma maneira gostosa, com timidez.

Não quero aceitar, porque ela é capaz de dar e depois se arrepender, querer de volta, brigar. Ou mesmo dar queixa de que eu o tomei dela. É difícil a gente se entender com crianças pequenas, porque os adultos interferem. Da mesma forma como eles zombam de nós e nos maltratam por sermos pequenos, nós o fazemos com os menores. Uma criancinha dessas é capaz de dizer tão lindamente "é para sempre", e nós rimos dela. Portanto, não queria aceitar, por desconfiança, para evitar aborrecimentos futuros. Peguei só para olhar, e vejo que não tem uma só janelinha, tem várias, todas multicolores.

Digo então:

— Devolvo logo.

E ela:

— Não quelo.

E coloca a sua mãozinha na minha mãozona. Olho para a mãozinha dela através do vidrinho, e sorrimos um para o outro.

Mamãe pergunta se terminei os deveres, me dá dinheiro para o bonde, manda entregar o vestido estragado pelas traças na casa da minha tia. Desgostoso com a casa, digo a mim mesmo: "Ótimo, assim posso sair um pouco".

— Cuidado para não perdê-lo — adverte mamãe.

Fico pensando: "Uma menina talvez o perdesse; eu não".

Ao reclamarem conosco por sermos homens, acirram nossos ânimos contra as meninas. Que culpa temos nós? Foi Deus quem nos criou assim.

E eles sempre:

— Esses meninos, esses meninos...

E nós retribuímos:

— As meninas fazem isto, as meninas fazem aquilo...

Como se fossem dois campos inimigos. Para que, se sabemos muito bem o que elas valem e o que nós valemos?

Bem, peguei o vestido que mamãe enrolou num pedaço de pano, e lá vou eu.

Esperei o bonde muito tempo e fiquei irritado, porque queria voltar logo, para mostrar como sei ser rápido. Mas alguma coisa aconteceu, os bondes ficaram parados, e o primeiro que chegou estava lotado. As pessoas ficam se empurrando para subir, então eu empurro também. Consegui me agarrar no corrimão para tentar entrar, mas um sujeito me deu um empurrão que me fez girar. Fiquei tão danado que falei um palavrão. E ele, parado no estribo, diz:

— Está fazendo o quê? Vai cair.

"Olhe só, que bonzinho", pensei, "Quem vai cair é você, beberrão."

Ele não estava bêbado coisa nenhuma, foi de raiva que o chamei assim. Botou-me para fora do bonde sobriamente, só por ser maior, mais forte.

Continuo esperando no ponto, e o segundo bonde vem cheio também. Pago a passagem, o bonde sai andando. Mas eu continuo pensando no sujeito mal-educado que me empurrou. Grosso, bruto, ainda por cima adulto — que exemplo está dando às crianças.

Outra vez sou empurrado. Um sujeito me afasta com o braço, como se eu fosse um objeto; por pouco não deixo cair o vestido. Que mal há então em dizer o que eu lhe disse:

(Quando eu voltar a ser criança)

— Tome mais cuidado.
É o que basta para ele gritar comigo.
— Vou te mostrar já, já o que é cuidado.
Limitei-me a repetir:
— Pois tenha mais cuidado.
Aí ele me pega pelo queixo com a sua pata suja. Digo:
— Me largue.
E ele:
— Então deixe de ser malcriado.
Respondo:
— Não estou sendo malcriado.
Um velhote se mete no meio. Não viu nada, não sabe de nada, mas toma partido:
— Esta é a educação de hoje. Esses pivetes que nem deixam gente de mais idade passar.
Defendo-me:
— Ele nem me pediu para passar.
— Espere para ver o que vou pedir, cachorro.
— Não sou cachorro, sou homem, e o senhor não tem o direito de me empurrar.
— Quer me ensinar os meus direitos, agora!
— E por que não?
Meu coração dispara, a garganta fica apertada. Deixo explodir o escândalo. Não vou me deixar ofender assim. As pessoas começam a olhar. Ficam admiradas de ver um menino se defendendo desse jeito.
— E se eu te der uns puxões de orelhas, vai fazer o quê?
— Chamo o guarda e mando prender o senhor, porque está fazendo bagunça no bonde.
Todos se põem a rir. Até ele. Não estão zangados, só riem, como se eu tivesse contado uma piada. Chegam a levantar dos bancos para olhar para mim. Não aguento mais, e digo:
— Com licença, quero saltar.
Mas o sujeito não me deixa:

―(Janusz Korczak)―

— Você acabou de subir. Fique mais um pouco.
Uma mulher gorda, derramada no seu assento, comenta:
— Que garoto mais teimoso!
Nem ouço mais o que cada um diz a meu respeito. Grito.
— Quero saltar!
O sujeito não se mexe.
— Você tem tempo, é jovem. Por que tanta pressa?
Berro, a plenos pulmões:
— Senhor motorneiro!
Finalmente alguém toma minha defesa:
— Deixem o garoto saltar, coitado.
Saltei, enquanto todos me olhavam como se fosse um espantalho. Devem ter continuado a rir de mim uma boa meia hora.

Nos ordenam que os respeitemos, quero saber por quê. Todos uns ordinários. O mandamento diz: "Honrarás pai e mãe", mas não manda honrar qualquer um que nasceu antes de nós. Grande mérito ter nascido antes. E o que deve fazer Mundinho, que tem pai alcoólatra? "Cachorro, garoto teimoso, malandro, malcriado." Que nos deem então um exemplo de boa educação. E o professor que durante a aula toda fica de dedo enfiado no nariz? Não tem vergonha, na frente dos cachorros? E ainda nos chamam de fedelhos. Só para ofender e rebaixar. É de admirar que as crianças mais tarde, quando crescem, desembestem pelo mundo afora?

Somos conscientes, enxergamos e sabemos muitas coisas, intuímos e pressentimos mais ainda. Mas precisamos dissimular, porque nos lacraram a boca.

O professor na aula enfia o dedo no nariz; a professora se vira para a janela, às escondidas tira da bolsa um espelhinho e passa batom. Estão pensando que somos cegos, quarenta garotos sentados na frente deles? Por que não fazem a mesma coisa na presença do inspetor?

Depois ficam espantados quando a gente às vezes faz uma travessura.

Sentimos, é claro, que estão nos estragando. Têm a língua cheia de moral, mas cultivam dentro de nós a falsidade e a submissão. Para que, quando adultos, humilhemos o mais fraco e nos humilhemos diante do mais forte.

Vou caminhando com o vestido debaixo do braço, e pensamentos adultos se entrelaçam com dores e humilhações de criança. Só percorri de bonde a distância correspondente a quatro pontos, a casa de minha tia está longe, mas prefiro ir andando, quase correndo, a continuar discutindo com eles.

Quando chego em casa, mamãe, só para chatear, diz:

— Por que demorou tanto?

Não respondi nada. Porque de repente me pareceu que mamãe é culpada de tudo. Se eu não tivesse saído de casa já irritado, talvez não teria discutido no bonde. A gente cede tantas vezes, não custava ceder mais uma. Tem um provérbio, parece ironia, que diz que o sábio cede diante do tolo. Quem é capaz de me mostrar um sábio?

Fico com pena de que o dia, que começou tão bem, esteja terminando tão sem graça.

Estou deitado, mas não consigo dormir, continuo pensando: "Parece que tem de ser assim. Em casa as coisas não vão bem, mas lá fora são ainda piores. Por que acharam tudo tão engraçado? Se sou pequeno, não posso chamar um guarda, mas eles podem me empurrar para fora do bonde, me pegar pelo queixo, me ameaçar de pancada?" As crianças, afinal, são ou não seres humanos? Nem sei mais se devo ficar contente por ser criança, contente por haver neve branca na rua ou triste por ser tão fraco.

Finalmente, o devaneio vem me socorrer. Quantas vezes a gente sente que a vida é insuportável e encontra consolo num pensamento agradável. Que começa sempre assim: "Como seria bom se..."

E daí por diante, como se fosse verdade. Como se fosse verdade, por exemplo, que continuo sendo criança, mas sou forte como um adulto. Muque de atleta. O sujeito no bonde diz alguma coisa sobre um puxão de orelhas que pretende me dar e eu respondo:

— Por favor, sirva-se.

E aperto a mão dele até ele pular de dor:

— Solte!
Eu respondo:
— Mas eu ouvi alguma coisa sobre um puxão de orelha que o senhor ia me dar. Se sou um fedelho, por que não me puxa a orelha? E aperto cada vez mais. Ele ameaça me bater com a outra mão, eu pego a outra também e começo a apertar.
— Me solte! Solte já!
— Só depois que pedir perdão.
Foi gostoso pensar e planejar as coisas desse modo. Sem levar em conta que na outra mão eu estava segurando o embrulho com o vestido, então não podia servir-me dela para segurar a mão do sujeito.

Os adultos se espantam quando sabem que os meninos querem ser fortes. Será que o leão é mais forte que o urso? Será que o homem mais forte consegue se defender se for atacado por cem pessoas? E o diretor da escola é mais forte que o professor de educação física? Quem é o mais forte da turma, da escola toda? De toda a Polônia? Quem é capaz de derrubar quem, quem corre mais rápido, lança mais longe, pula mais alto?

Não se trata de boba curiosidade infantil, nem de brincadeira, mas de um teste para saber de quem somos capazes de nos defender.

Os adultos não sabem quanto os jovens sofrem nas mãos dos mais velhos e fortes. Um indivíduo qualquer pega um objeto que você está segurando, vai embora, te dá uma pancada e ainda fica rindo, porque sabe que você não vai fazer nada; te empurra, te desloca do lugar em que você chegou primeiro, joga o seu casaco do cabide para o chão, te xinga, ofende, arranca seu boné da cabeça, estraga a sua brincadeira, não te deixa olhar. E você não pode fazer nada, pois se partir para a briga, na marra, ainda acabará apanhando. E ele se safará mais facilmente de qualquer encrenca, porque é esperto. E você nem sempre vai contar o que aconteceu, ou denunciá-lo, porque ninguém vai te ajudar e ainda por cima depois virá a vingança. Fazem de nós o que bem entendem.

Se você for esperto, no máximo responderá algo, ou desferirá um único golpe e logo dará no pé.

(*Quando eu voltar a ser criança*)

Para nós, não existem direitos nem justiça. Vivemos como os homens das cavernas. Uns agridem, outros se escondem ou fogem. Vale tudo; o punho, o pedaço de pau, a pedra. Não existe organização nem civilização. Teoricamente existe, mas na prática é só para os adultos, e não para as crianças.

Vocês acham a nossa linguagem pobre e desajeitada, porque não dominamos a gramática. Por isso acreditam que nós pensamos pouco e pouco sentimos. Nossas crenças são ingênuas, porque não temos o saber que está nos livros, e o mundo é muito grande. Entre nós, a tradição substitui a lei escrita. Vocês não compreendem os nossos rituais nem percebem a natureza dos nossos problemas.

Nós vivemos como um povo de pigmeus, subjugado por sacerdotes gigantes que detêm a força dos músculos e a ciência secreta.

Somos uma classe oprimida que vocês desejam manter viva à custa do menor esforço e com o mínimo de sacrifício.

Somos criaturas extremamente complexas, fechadas, desconfiadas e camufladas, e nem a bola de cristal nem o olho do sábio lhes dirão qualquer coisa a nosso respeito se vocês não tiverem confiança em nós e identificação conosco.

Deveríamos ser estudados pelo etnólogo, pelo sociólogo, pelo biólogo, e não pelo pedagogo ou pelo demagogo.

Nosso irmão, entre todos, é o artista — que, nessa hora caprichosa, rara e excepcional que é a hora da inspiração, é capaz de verdadeira simpatia para com o nosso povo. Nessa hora, ele parece a vocês uma criança. Pois o que ele faz não é outra coisa senão contar-nos um conto de fadas.

Pois é: vocês se definem nas suas relações conosco através do seu humor, que raramente é alegre e muitas vezes é soturno.

Acordei triste.

Malhado

Acordei triste.
    Estar triste não é ruim. A tristeza é um sentimento suave e agradável. Bons pensamentos nos vêm à cabeça. Sentimos pena de todo mundo: de mamãe, porque as traças estragaram o seu vestido; de papai, porque precisa trabalhar; da avó, porque está velha e não demorará a morrer; do cachorrinho, porque está com frio; e da florzinha, porque suas folhas ficaram flácidas e ela parece doente. Queremos ajudar a todos, e queremos nós mesmos tornar-nos melhores.
    Contos de fadas tristes também nos agradam, o que indica que temos necessidade de tristeza, como se ela fosse um anjo que para, olha, põe a mão na nossa cabeça e parece estar respirando pelas asas. Dá vontade de ficar sozinho, ou então de estar com alguém e conversar sobre diversos assuntos.
    Ficamos com medo de que alguém venha estragar a nossa tristeza; estragar, não: espantar.
    Estou na janela, e vejo que nas vidraças, durante a noite, surgiram desenhadas lindas flores. Talvez não flores, mas folhas. Uma espécie de palmas. Estranhas flores, mundo estranho. Por que tudo é assim como é, de onde vem tudo isso?
    — Por que você não está se vestindo? — pergunta papai.
    Não respondo, mas chego perto dele e digo:
    — Bom dia.
    Beijo a mão do pai, e ele olha para mim.
    Agora me visto rápido, tomo café e vou saindo para a escola.
    — Por que tanta pressa hoje? — pergunta mamãe.
    — Quero passar na igreja — respondo.

──(*Janusz Korczak*)──

Pois lembrei que não tenho rezado muito e me sinto culpado. Saio para a rua e procuro ver se Mundinho vem vindo. Mas não o vejo.

A água congelou. E os garotos já estão preparando uma pista de patinação. Para poder deslizar bem. De início preparam um pequeno pedaço, depois vão avançando, daqui a pouco há espaço para todos patinarem.

Paro. Não paro, não. Vou andando.

Em vez de Mundinho encontro Vítor, que me saúda:

— Oi, tríplico, como vai?

Na hora, não entendi o que ele quis dizer. Depois percebi que estava me dando um novo apelido. Por causa do desenho daquele dia, quando desenhei o tríptico.

Digo:

— Me deixe passar.

Ele bate continência e diz:

— Às ordens.

Percebo que ele está me provocando, então atravesso a rua. Ele ainda teve tempo de me dar um empurrão, mas logo peguei uma rua transversal.

"Tenho tempo", pensei. "Vou dar uma volta."

Vou à escola sem vontade. Lá sempre tem barulho, empurram a gente, cada qual diz uma coisa. Às vezes vou propositadamente mais devagar, ou por um caminho mais longo, para chegar bem em cima do início da aula. Bom é chegar quando o sinal está batendo, porque assim o professor entra logo e o ambiente se acalma. Se eu tivesse um relógio poderia calcular melhor o tempo, mas sem relógio corro o risco de chegar atrasado.

Não há de ser nada. Pego mais uma rua que alonga o trajeto. Como se alguém estivesse me chamando ou algo estivesse me empurrando. Às vezes fazemos alguma coisa sem saber por quê. Pode dar certo ou não. Quando não dá certo, costuma-se dizer que cedemos à tentação. E mais tarde a gente fica admirado: por que será que fiz isso? Portanto, sem saber por que, vou dando uma volta grande, por um caminho completamente diferente do habitual. Vou andando e, de repente, vejo um cachorrinho parado na neve.

Pequenininho, todo assustado. Está apoiado sobre três patas e mantém a quarta levantada no ar. Treme; sacode-se todo. A rua está deserta. Só de vez em quando passa alguém.

Paro e olho para ele; penso que os donos devem tê-lo posto na rua e ele não sabe para onde ir. É branco, só tem uma orelha preta, bem como a ponta do rabo. Continua com a patinha pendurada no ar, olha para mim com melancolia, pedindo que eu tome conta dele. Até levantou o rabo, mas só o abanou duas vezes, tristonho. Uma vez para um lado, uma vez para o outro, como se estivesse sentindo alguma esperança. Eu também. E ele chega mais perto de mim. Mas percebe-se que está com dor. É o que me parece. Para outra vez e aguarda. A orelha preta em pé, a branca caída. Eu juraria que quer me pedir alguma coisa, mas ainda está com medo. Lambe a boca — deve estar com fome — e continua com aquele olhar de súplica.

Dou alguns passos, ele me segue. Vai mancando, se apoia nas três patas. E, quando eu olho para trás, ele para. Passa-me pela cabeça a ideia de bater com o pé no chão e gritar "pra casa!", para ver o que ele faz. Mas fico com pena dele, então não grito coisa nenhuma, só digo:

— Vá pra casa, senão você pega um resfriado.

Mas ele se chega ainda mais.

Que fazer? Claro que não posso deixá-lo, vai congelar.

O bichinho se aproxima mais, mais ainda, está quase encostado em mim, deita-se humildemente no chão e treme. Agora tenho certeza, mas certeza absoluta, que meu Malhado não tem casa. Quem sabe ficou vagando pela rua a noite toda? Teria chegado a sua hora? E justamente quando eu resolvi ir por outro caminho para a escola, e justamente quando eu posso salvá-lo da morte iminente.

Pego-o nos braços e ele me lambe. Está todo enregelado, mas a língua está um pouco mais quentinha. Imediatamente, desaboto o casaco e o enfio por baixo, só deixando do lado de fora a cabecinha, não, só o focinho, para que ele possa respirar. Ele faz um movimento com as patas, como se quisesse agarrar-se em alguma coisa para não cair. Quero lhe dar apoio, mas tenho medo de machucar a patinha ferida, então passo as mãos em volta do corpo dele e sinto que seu coração bate como se quisesse explodir.

Se soubesse que mamãe o deixaria ficar, ainda daria tempo de passar em casa. Em que é que ele ia atrapalhar? Eu o alimentaria com sobras da minha comida. Mas tenho receio de voltar para casa, e sei que na escola não me deixarão entrar com o bichinho. Bem, ele se acomodou confortavelmente debaixo do casaco, parou de se mexer, fechou os olhinhos. Por causa da posição em que o seguro, a manga do meu paletó levantou um pouco; mas ele nem quer respirar ar fresco — enfiou o focinho dentro da manga e fica suspirando. E todo ele vai se tornando mais quente. É provável que adormeça agora. Se passou a noite toda ao relento, no frio, sem dormir, certamente deve estar com sono. E aí, o que faço eu?

Olho em volta, vejo uma lojinha. Penso: "O que será, será. Quem sabe ele saiu da loja e se perdeu". Vou até lá. Sei que não é isso, mas vale a pena tentar; que mais posso fazer? Entro e pergunto:

— A senhora me desculpe. Este cachorro é seu?

Depois de dar uma olhada, ela responde:

— Não.

Mas eu continuo na loja. Se tivesse dinheiro, compraria leite para ele. A mulher da loja diz:

— Deixe eu ver o cachorrinho.

Animado, tiro o bichinho de dentro do casaco. Ele está dormindo.

— Aqui está.

Ela parece refletir um pouco e diz:

— Não, não é meu.

— A senhora não sabe de quem é? Deve ser aqui da vizinhança.

— Não sei.

Eu insisto:

— Sabe, ele está com frio.

Continuo segurando-o. Ele nem se move, dorme profundamente. Se eu não sentisse sua respiração, pensaria que está morto.

Fico com vergonha de pedir à dona da loja que fique com ele um pouco, que mais tarde passo e o apanho. Penso de repente que se não resolver nada aqui, talvez o bedel da escola aceite ficar com ele durante o tempo da aula. O bedel do primeiro andar é um chato, mas o do segundo é simpático: conversa, brinca conosco, aponta os nossos lápis.

A senhora pergunta:

— Você mora nesta rua?

Como se quisesse dizer que não me conhece, que não sou um freguês, então para que fico parado ali?

— Vá andando, vá andando — diz. — Sua mãe mandou você ir à escola e você fica aí à toa, brincando com o cachorro. E feche bem a porta quando sair.

Como me viu todo atrapalhado, deve ter pensado que eu certamente esqueceria de fechar a porta e deixaria o frio entrar. É assim mesmo: cada um só pensa em proteger a si mesmo. Mas o cachorro também é uma criatura de Deus.

Na saída, sem saber o que fazer, experimento ainda:

— Olhe só, é tão branquinho... e não tem sarna.

Mas escondo com o braço a patinha machucada. Ou, quem sabe, apenas congelada.

Mas a dona da loja diz:

— Chega de me encher a cabeça com esta história de cachorro.

Pronto, estou enchendo a cabeça dela. Como se fosse eu o culpado de o cachorro estar morrendo de frio na rua.

O que fazer? Se o bedel não concordar, é ele quem terá de jogar o cachorro na rua.

E os garotos vão logo encher a escola de gritos:

— Olhe só, o cachorro! Ele trouxe o cachorro para a escola!

O professor acabará ouvindo. E o segredo é fundamental. Como já perdi tempo demais, enfio o cachorro debaixo do sobretudo, só que dessa vez também debaixo do casaco, sem me preocupar com o pouco ar que ele terá para respirar. E saio voando para a escola. O bedel certamente há de aceitar. Vou conseguir dinheiro emprestado de alguém para comprar leite para o meu Malhado.

Dei-lhe o nome de Malhado.

Vou correndo, e sinto que ele já se aqueceu. Através da camisa ele recebeu o meu calor. Agora despertou, começa a se mexer, a me arranhar, e finalmente bota o focinho para fora e late. Late, não: murmura; emite, enfim, um som que anuncia o seu bem-estar e a sua gratidão. No início, eu sentia o frio dele batendo no meu peito, mas agora, por sua vez, é ele que me aquece. Como se eu tivesse uma criancinha nos braços. Inclino-me e dou-lhe um beijo; ele fecha os olhos.

Vou direto ao bedel:

— Por favor, guarde-o. Ele está todo congelado.

— Ele quem?

— Este aqui.

Ao ver que estou segurando um cachorro, ele fecha a cara.

— Onde foi que você o pegou?

— Na rua.

— Pegou por quê? Um cachorro que não é seu.

— Ele não tem dono. E está com uma patinha machucada.

— Vou guardar onde? Você não tinha nada que pegar. Como sabe que ele não é de ninguém?

Não é mesmo. Perguntei a todo mundo. Se tivesse dono, não o teriam jogado na rua neste frio.

O bedel resiste:

— É capaz de estar com sarna.

— Imagine! Olhe só como é branquinho.

Fingi-me de ofendido, mas estou contente, porque sinto que se ele pegar o cachorro para ver de perto ficará com ele.

Um garoto já viu, então escondo rápido o bicho debaixo do casaco.

(Quando eu voltar a ser criança)

E o bedel manda o menino embora:
— Vá andando. Olhe os sapatos, estão cobertos de neve.
Mas a resistência prossegue:
— Já tenho bastante trabalho com vocês, agora imagine se cada aluno me traz um cachorro da rua.
— Por favor, é só por algumas horas. Depois o levo para minha casa.
— Aposto que seus pais não vão deixar.
— Então volto para a rua onde o achei. Quem sabe alguém o reconhece.
O homem coça a cabeça e eu penso: "As coisas vão bem". Ele ainda faz doce:
— Tanto trabalho com vocês e agora vou ter que cuidar de cachorros.
Ele acaba aceitando. Um sujeito humano. Se fosse o do primeiro andar, além de não aceitar teria me xingado.
Ficou com o bichinho. Os alunos começaram a se juntar nas proximidades. E o meu Malhado parece que entende, porque fica imóvel e só olha para mim. O sinal bate. Tudo bem: deixei Malhado num lugar seguro e não cheguei atrasado na escola. A aula começa.
Sentado na minha carteira, estou triste. Malhado não sente mais frio, mas deve estar com fome. Fico pensando onde conseguir dinheiro para comprar leite para ele.
Fico pensando também que dormi a noite toda numa casa bem quentinha, sem saber que um cachorrinho sofria na rua gelada; e, mesmo que soubesse, não adiantaria. Pois é claro que eu não poderia me vestir e sair no meio da noite procurando Malhado pela rua.
Sentado na minha carteira, estou tão triste que poderia repartir minha tristeza com a turma toda. Acho que nunca mais vou brincar com os colegas. Ontem ficamos brincando, fazendo de conta que éramos cavalos, e depois caçadores. Brincadeiras de criança. Não têm utilidade para ninguém. Mas se me deixassem ficar com o meu cachorrinho lá em casa, eu poderia tomar conta dele. Poderia lhe dar banho, escová-lo, ele ficaria tão branco quanto a neve. Se ele quisesse, eu lhe ensinaria diversas habilidades. Mas com paciência,

sem bater. Nem levantaria a voz para ele. A palavra muitas vezes dói tanto quanto a pancada.

Quando a gente gosta de um professor, a menor observação que ele nos faz machuca. Basta ele dizer:

— Fique quieto.

Ou então:

— Não fique conversando.

Ou ainda:

— Você não está prestando atenção.

E você logo fica sentido. Procura ver se ele só falou por falar e esquecerá logo, ou se está zangado para valer.

Malhado vai gostar de mim; portanto, se ele falhar num exercício, direi que não o executou bem, mas logo lhe farei um carinho e ele abanará o rabo, e se esforçará mais.

Não o agitarei nem de brincadeira, para não ensiná-lo a ter raiva. É estranho como a gente gosta de excitar um cachorro para ele ficar latindo. E eu mesmo espantei um gato ontem. Lembrei-me disso e fiquei com vergonha. O que eu queria com o gato? O coração dele deve ter disparado de medo. Será que os gatos são realmente falsos ou isso é só conversa fiada?

A professora diz:

— Agora, leia você.

Sou eu. E eu não sei de que se trata, porque nem havia aberto o livro. Fico parado que nem um imbecil, de olhos arregalados. Estou com pena de Malhado e de mim mesmo.

Vítor anuncia:

— Tríplico estava voando atrás de passarinhos.

Meus olhos se enchem de lágrimas, então abaixo a cabeça, porque não quero que ninguém veja.

A professora não se zangou; apenas disse:

— Você nem abriu o livro. Vou ter de pedir que se retire.

Ela disse que ia pedir que eu me retirasse. Não falou que ia me botar para fora. Mas nem isso ela fez. Disse:

— Fique em pé.

Nem me mandou para o canto. Ela deve ter adivinhado que algo importante aconteceu. Porque, se eu fosse ela e visse um aluno sentado com o livro fechado, perguntaria qual é o problema, o que aconteceu com ele.

Bem, e se ela perguntasse por que eu não estava prestando atenção, será que eu ia contar? Claro que não. O que é que ela tem com isso? Aula é aula, e pronto. E eu não podia comprometer o bedel.

Mas ela disse:

— Fique em pé.

E depois ainda acrescentou:

— Ou quem sabe prefere ir para fora?

Fico todo vermelho, não respondo. E o pessoal começa logo a gritar. Uns dizem:

— Ele prefere ir para fora!

E outros:

— Prefere, não, professora!

Qualquer coisa é pretexto para brincadeira, e todos ficam contentes porque a aula é interrompida. Não pensam no colega que está sem graça e com medo de que a professora acabe se zangando para valer.

O sinal bate, tudo acaba. Vou correndo à procura do bedel. Mas o bedel do nosso andar, aquele mal-humorado, me manda parar.

— Para onde vai? — pergunta. — Não sabe que é proibido?

Fico com medo, mas meu pensamento está longe: "Preciso arranjar dez centavos para comprar leite".

Que tal pedir a Roberto? Ele sempre tem dinheiro. Mas não vai querer dar, porque o conheço pouco. E uma vez, quando alguém lhe pediu emprestado, ele disse:

— Imagine só se vou emprestar a um fedelho!...

Continuo refletindo: "Quem sabe este, quem sabe aquele". Olho em volta. Acabo lembrando que Fernando me deve cinco centavos. Saio em busca dele; ele está brincando, foge de mim.

— Escute, me devolva os cinco centavos.
— Desinfete — responde ele. — Não atrapalhe.
— Mas eu estou precisando.
— Mais tarde, agora não posso.
— Mas estou precisando!
— Mais tarde, já disse! Agora não tenho!
Percebo que ele começa a ficar irritado e não tem mesmo dinheiro — o que se há de fazer? Mundinho também não tem.
Não há outra saída, vou falar com Roberto. Ele é rico, seu pai é dono de uma loja.
Ele indaga logo:
— Está precisando para quê?
— Para uma coisa importante.
Ele continua perguntando:
— Você devolve quando?
— Assim que puder.
Vou prometer o quê? Se fosse outro, diria:
— Amanhã.
E não levaria a sério coisa nenhuma. E se o outro tentasse cobrar, ainda o xingaria. Diria:
— Vá plantar batatas.
Os adultos, mesmo os mais pobres, têm sempre pelo menos uns vinte centavos no bolso, enquanto nós temos de batalhar feito doidos para arranjar cinco centavos que sejam. É um sofrimento para nós não dispor de um mínimo fixo. Para saber de antemão com o que se pode contar.
— Como é, dá para emprestar?
— Não tenho.
— Tem sim, só que não quer dar.
Se eu dissesse para que era, ele daria. Devo dizer, então? Ele prossegue:
— Emprestei para uma porção de gente, mas ninguém me devolveu. Procure o Frank: está me devendo vinte e cinco centavos há um mês.

Frank nunca devolve para ninguém, portanto fecho a cara; mas o que vou fazer? Procuro, mas não consigo achá-lo. Vou achar onde, nessa multidão?

Roberto até que é bom sujeito, não gosta de dizer não. Só que é muito curioso, quer sempre meter o nariz em tudo. Agora vem me perguntar:

— Como é, resolveu com Frank?
— Não sei onde ele está.

Roberto pensa um pouco e pergunta:
— Você precisa para quê, hein?
— Se eu disser, você empresta?
— Empresto.
— Mas tem aqui?
— Tenho, só que queria comprar madeira compensada para fazer uma moldura.

Conto-lhe então rapidamente sobre o cachorro e procuramos subir discretamente para o segundo andar, mas eis que o sinal bate. Temos de ir para a aula.

Estou preocupado. Malhado está com fome, é capaz de começar a choramingar, a ganir, e aí o bedel o pega e o joga na rua.

Batizei-o de Malhado. Mas agora desconfio que talvez não seja um bom nome. Parece um apelido. É verdade que o cachorro não entende essas coisas, mas se fosse homem talvez ficasse chateado. E se eu o chamasse de Floco, para lembrar que o achei na neve? Ou Branquinho? Ou alguma coisa ligada a inverno?

Penso em tudo isso como se já soubesse que me permitirão ficar com ele.

Tanto a mulher da loja como o contínuo disseram que ele deve ter um dono; seria o caso de interrogar uns garotos perto daquele portão. Que portão? Não havia nenhum portão nos arredores. Depois, algum deles é capaz de dizer de mentira que o cachorro é dele, só para brincar um pouco e depois jogá-lo na rua outra vez. E, se ele tem donos de verdade, não devem cuidar bem dele, pois o botaram

——————————(Janusz Korczak)——————————

para fora em pleno frio. E se foi ele que fugiu de casa? Não o conheço ainda, não sei como ele é. Cachorrinhos jovens fazem muitas estripulias. É capaz de ter aprontado alguma coisa, ficado com medo do castigo e resolvido fugir.

Atormento-me, porque não sei o que fazer. Tenho tais, tais e mais tais possibilidades — fico preocupado, como se tivesse um filho. E Floco deve estar pensando que me esqueci dele. Vida de cachorro é parecida com vida de criança. A criança chora e o cachorro choraminga, se lamenta. E late de raiva ou de alegria. E brinca que nem criança. E nos encara nos olhos, e agradece lambendo; mas também rosna, como se fosse para advertir e dizer: "Chega, pare!"

Lembrei que estou na aula e preciso prestar atenção, pois hoje já fiquei em pé de castigo. Quando eu era adulto, pensava que fosse fácil ser um aluno aplicado, prestar atenção nas aulas e ganhar boas notas. Agora vejo como é difícil. Quando eu era professor e tinha um aborrecimento, também não prestava atenção na aula, mas ninguém me mandava ir para o canto, de castigo. Ao contrário, nessas horas eu me tornava mais severo e impunha um silêncio mais absoluto na aula, a fim de curtir tranquilamente a minha tristeza.

Meu Branquinho, meu Branquinho. Você é pequeno e fraco, então todos te humilham e desprezam. Você não é uma morsa que salva os que se afogam; tampouco você é um São Bernardo, que nas montanhas encontra as pessoas que se perderam na neve. Você não é um cachorro de esquimó. Você nem sequer é um fox terrier inteligente, como o do meu tio.

Irei, junto com o meu cachorrinho, fazer uma visita à casa do meu tio, ele vai fazer amizade. O cachorro também gosta de companhia.

Penso: "Vou na casa do tio." Penso, não; divago. Porque com certeza não me deixarão ficar com ele.

O adulto diz para a criança: "Não pode, não é permitido" — e esquece logo. Nem sabe a dor que causou.

Quando eu quis ser criança, só pensava nas brincadeiras, na alegria das crianças, que não precisam pensar em nada nem se preocupar com coisa alguma. Mas agora tenho no fundo da minha alma, por causa de um cachorrinho de três patas, uma angústia maior do que a que o adulto sente por causa de toda a sua família. Finalmente o sinal bate.

Entregamos dez centavos ao bedel, para o leite. Mas ele diz:

— Se eu fosse esperar pelos seus dez centavos! E olhem só o que o cachorro fez.

E nos conduz ao depósito escuro onde Malhado está trancado.

— Não faz mal, digo. Posso limpar com este pano?

Limpei tudo e não sinto nojo nenhum.

Branquinho me reconheceu, porque ficou contente. Quase escapa para o corredor. Fica dançando em volta e dá pulinhos. Já esqueceu as misérias e os perigos por que passou. A essa hora estaria provavelmente morto, estendido na neve fria.

— Bom, deem o fora — diz o bedel.

Mas logo se corrige e diz:

— Bom, vão andando, porque não tenho tempo.

A um adulto ninguém diz "dê o fora", mas a criança ouve isso inúmeras vezes. É sempre assim: o adulto está muito ocupado, a criança está zanzando à toa; o adulto tem senso de humor, a criança faz palhaçadas; o adulto sofre, a criança choraminga ou berra; o adulto tem movimentos rápidos, a criança é agitada; o adulto está triste, a criança está de cara feia; o adulto é distraído, a criança vive no mundo da lua; o adulto fica mergulhado em pensamentos, a criança está abobalhada; o adulto faz alguma coisa pausadamente, a criança se arrasta. É uma linguagem que pretende ser engraçada, mas resulta indelicada. Pirralho, fedelho, bobalhão — mesmo quando não querem brigar com a gente, quando querem ser afetuosos. Azar, a gente acaba se acostumando, mas esse menosprezo é desagradável e às vezes irrita.

Coitado do Branquinho (não seria melhor Floco?), vai ficar mais duas horas trancado no escuro.

— Não seria melhor segurá-lo embaixo da camisa, para ficar quieto?

— Você é bobo — diz o contínuo, e tranca a porta com a chave.
Encontro Mundinho, que indaga:
— Que história é essa de uns segredos que você tem?
Está com ciúmes, porque não sabe ainda. Então, conto para ele.
— Ah, é assim? Você contou primeiro para o outro?
— Tive de contar, porque ele não queria emprestar dinheiro para o leite.
— Ah, sim. Sei, sei.
Estou com pena de Mundinho, porque eu também ficaria enciumado se ele contasse primeiro a outra pessoa. No recreio mais longo, então, falo com ele:
— E aí, quer ver?
Acontece que apanharam uns garotos fumando no segundo andar, e está havendo uma investigação para descobrir quem estava fumando e quem havia subido para o segundo andar. E o nosso bedel diz:
— Eu sempre os expulso, mas eles se escondem.
E olha para nós. Eu me escondo atrás de Tadeu. Porque me pegariam logo: fiquei todo vermelho. O sangue me subiu à cabeça, senti calor. E quando os adultos perguntam algo a uma criança, basta ela gaguejar ou ficar vermelha para eles logo pensarem que está mentindo ou tem culpa no cartório. E para nós basta uma suspeita para ficarmos vermelhos, basta um medo qualquer para nosso coração disparar. E alguns adultos ainda por cima têm o hábito de mandar que os encaremos olho no olho. Mas existem crianças que, mesmo culpadas, sabem sustentar o olhar e continuar mentindo até o fim. Estas têm sorte. A pior situação é a da criança sensível e inocente, porque sofre. Pois os adultos brigam com todos nós. Sempre dizem: "Vocês..."
"Vocês sempre. Vocês nunca. Vocês isso. Vocês aquilo." Gritam e nos ameaçam a todos: "Eu os conheço! Conheço suas artimanhas! Esperem só para ver o que acontece!"
Quem é sensível tem medo, vive com medo. Que nem a lebre. A lebre tem medo mesmo quando dorme. Nosso sono também é inquieto. E acordamos apavorados.

(Quando eu voltar a ser criança)

Se alguma coisa range no meio da noite, parece que é um fantasma, ou um assassino. Ora algo aparece na janela, ora uma forma branca se mexe. Você enfia a cabeça embaixo do cobertor, fica suado, tem medo de respirar e pensa: "O que acontece se uma mão fria tocar em mim?"

Então logo nos vêm à cabeça uns contos de terror, umas notícias pavorosas publicadas nos jornais.

Porque não é só nos contos de terror que ocorrem coisas terríveis. Por acaso não existem pessoas sem perna, sem nariz? Não é que qualquer um pode ficar cego ou louco? Não acontece de alguém ir andando pela rua e de repente cair e ter convulsões, com espuma saindo da boca? Ia andando normalmente, como todos, e de repente acontece isso. Junta gente, começam a confabular, mas você é empurrado para longe. E você nem quer olhar, mas não pode se impedir: está petrificado.

E a varíola, a tuberculose galopante, o glaucoma, a gangrena, a leucemia? Não se presta muita atenção a essas ameaças. Porque os adultos contam de propósito muitas coisas para as crianças ficarem ouvindo e não fazerem bagunça demais. E você percebe que não foi atropelado, não caiu pela janela, não quebrou a perna, não teve o olho vazado. Então deixa de acreditar neles. De qualquer modo, não se pode tomar cuidado o tempo todo.

Mas, quando chega uma daquelas noites, tudo logo volta à lembrança. Todos estão dormindo, está escuro, no máximo a lua brilha. Então você fica com medo, acha que de repente pode começar a subir pelas paredes ou andar pelos telhados.

Estranho. Ora você é tão corajoso que entra na pior briga, ou topa ir ao cemitério no meio da noite; ora qualquer bobagem te assusta. É difícil dizer se somos corajosos ou covardes.

E é difícil saber como somos, de modo geral. Porque se eu me coloco a pergunta "será que sou um garoto honesto, assim como se deve ser", eu mesmo não sei responder. Por um lado, lembro-me de certos segredos meus, mas também logo penso: "Há outros sujeitos muito piores".

———————————(Janusz Korczak)———————————

Mesmo quando parece que alguém é mais honesto ou melhor do que eu, o fato é que não sei tudo a seu respeito, o que ele faz e o que pensa. Às vezes é possível fingir, ou não agir mal apenas por medo de ser descoberto.

Existem também segredos que precisam ser guardados mesmo quando não se fez nada de errado. Acredito que quem tem mais segredos desse tipo são as crianças. E precisam guardá-los bem, porque tanta coisa é proibida. Vejam o meu exemplo de agora. O que há de condenável em ter sentido pena de um cachorro esfomeado e tremendo de frio? Um cachorrinho esfomeado — uma criatura viva.

Por que será que os adultos nos proíbem tantas coisas? O que se ganha com isso?

Vamos sugerir à professora durante a aula: "Professora, deixe o Floco ficar na nossa sala. Você vai ver que todo mundo se comportará bem e prestará atenção".

Não sairá disso. E nem daria certo. Vítor seria o primeiro a fazer bagunça, só para contrariar.

O problema é que está todo mundo junto: os sensíveis, os mal-educados, os honrados, os modestos. Por causa dos outros torna-se impossível cumprir a promessa, honrar a palavra empenhada. Por causa deles, tudo acaba mal.

Por causa deles os adultos não confiam em nós, não acreditam em ninguém, menosprezam todo mundo.

Sem eles a vida teria talvez menos riso e alegria, mas seria mais tranquila.

Mas os adultos pensam que nós só gostamos dos bagunceiros, que só ouvimos os maus elementos, que fazemos qualquer coisa que eles nos ordenarem. Que eles estragam tudo.

Não é verdade. Nós podemos nos recusar a seguir um aventureiro desses dez vezes, e ninguém o saberá. Mas basta nos juntarmos a ele uma única vez, para uma coisinha qualquer, e pronto: o mundo desaba.

E nem queiram saber o que seria do mundo se nós realmente obedecêssemos sempre a esses bagunceiros, e só a eles. O que seria do mundo se não nos empenhássemos em acalmá-los.

Quantas vezes dizemos: "Deixe para lá, pare com isso, fique quieto, não faça aquilo. Tome cuidado, depois você se arrepende!" E o sujeito acaba nos ouvindo. A verdade é que se os adultos conseguem aguentar esse tipo de gente, é em parte graças a nós.

Bem, como eu ia dizendo, alguém havia fumado no segundo andar, não se sabia quem, e por isso acabamos não vendo nosso cachorrinho.

Depois da última aula, o bedel vem falar comigo:

— Leve logo esse cachorro daqui, e que esta seja a última vez, porque não tenho tempo. Ou então acaba todo mundo na sala do diretor, vocês e o cachorro.

Vamos, então, todos embora: eu, Mundinho e Roberto. E Malhado. (Que o nome seja Malhado, de uma vez por todas.)

Como ele ficou contente quando o deixamos solto! Impressionante como tudo que vive é atraído pela liberdade. Seja homem, seja pombo ou cachorro.

Ficamos deliberando, nós três, sobre o que fazer. Roberto concordou em ficar com Malhado até amanhã, para me dar tempo de sondar o terreno lá em casa.

Mas fiquei chateado com Roberto quando ele pegou o bicho e foi embora.

Porque Malhado é meu. Eu o aqueci debaixo do casaco. Foi a mim que ele lambeu primeiro. Fui eu quem o achou e o levou para a escola e ficou pensando nele o tempo todo. E Roberto nada fez além de dar dez centavos, e olhe lá.

Meu Deus, onde está a justiça quando sabemos que uns têm pais que permitem determinada coisa e outros não? Cada um gosta mesmo é dos próprios pais, da própria casa. Mas aí é informado de um outro pai que costuma dar permissão, e fica magoado. Se compara com os outros e sofre.

———————(Janusz Korczak)———————

Por que Roberto pode levar Malhado para casa e não acontece nada, enquanto eu preciso pedir, suplicar, e é provável que não dê em nada?

Pouco importa que um seja mais rico e o outro mais pobre, e que o rico possa comprar tudo que quiser. A liberdade importa mais do que a riqueza.

É assim que, quando sabemos que os pais têm poucos recursos, gostamos ainda mais deles por causa desse problema. Quem vai reclamar com o pai porque este está desempregado, ou ganha pouco? Mas se o pai gasta dinheiro com coisas supérfluas e priva o filho de tudo, pensa sempre em si mesmo e nunca no filho — aí não tem solução, nem o bispo poderá mudar nada. Por que será que o pai de Mundinho gasta dinheiro com bebida, e ainda por cima vive criando caso?

Tenho pena de Mundinho e tenho pena do meu Malhado branquinho, porque me preocupei tanto com ele e agora é um outro quem o leva para casa.

— Não precisa me devolver os dez centavos — diz Roberto.

Respondo:

— Não dependo de favores. Se puder, devolvo amanhã mesmo.

E ele:

— Se é para ficar de cara amarrada, não precisa deixar o cachorro comigo.

Eu:

— Vem cá, Malhado, vamos nos despedir.

Malhado procura se soltar, não entende que se trata de uma separação. Depois, apoia as patinhas no meu peito, abana o rabo, com mancha preta e tudo, como se fosse em sinal de alegria, e olha... direto... para dentro... dos meus olhos.

E nos meus olhos circulam lágrimas.

De repente... lambe-me na boca. Para dizer que está pedindo desculpas.

Aperto-o pela última vez.

(Quando eu voltar a ser criança)

Aí Mundinho me puxa pela aba do casaco.
— Vamos andando.
Saímos rápido, e nem olhei para trás.
Durante o trajeto, Mundinho ficou o tempo todo falando de pombos, reis, urubus e porcos-espinhos. E eu só de vez em quando dizia uma palavra. Nem me dei conta e já estava chegando em casa. Porque as coisas são assim: aparentemente a hora, contada no relógio, tem sempre a mesma duração, mas é como se dentro da gente existisse outro relógio, contando outro tempo. Às vezes uma hora passa sem você perceber, outras vezes fica se arrastando, parece que não acabará nunca. Tem dias em que mal chegamos na escola, bate o último sinal e voltamos para casa. Mas, quando as coisas não andam bem, há uma longa espera antes que toda aquela chateação termine, e você acaba saindo que nem um condenado da prisão, e não tem forças sequer para ficar contente.

Bem, está na hora de me despedir de Mundinho; mas algo fica me tentando e pergunto:
— E aí, seu pai tomou outra bebedeira ontem?
Mundinho fica vermelho e responde:
— Você pensa que meu pai bebe todos os dias?
Ele vai embora tão depressa que não posso fazer nada. Por que fiz isso? Acontece de a gente dizer alguma coisa por mera falta de reflexão, e depois não há mais como remediar.

Um dia meu pai me ensinou um provérbio: "Em boca fechada não entra mosquito". É um sábio provérbio. No dia em que meu pai o mencionou, não gostei, fiquei chateado. Porque eu havia dito alguma coisa que era verdade e o pessoal gritou comigo, como se eu tivesse contado uma mentira. Como ninguém havia me perguntado nada, eu podia muito bem ter ficado calado. Mas esconder uma verdade dentro da gente é falta de sinceridade.

Há muita falsidade na vida. Quando eu era adulto, estava acostumado, não me importava. Se é assim, é assim, o que fazer, a vida continua.

―――(Janusz Korczak)―――

Agora sinto diferente: sinto dor porque um homem não pode dizer ao outro o que pensa. Precisa fingir sempre.
A mentira, em si, pode não ser ruim nem boa. Mas um homem falso deve ser a pior das espécies. Pensa uma coisa, diz outra, na nossa frente é assim, longe de nós é assado. Prefiro o pretensioso, prefiro o mentiroso, prefiro qualquer um ao fingido, porque é tão difícil saber como ele é. Ao mentiroso você diz:
— Está mentindo!
Ao pretensioso:
— Deixe de ser metido a besta!
E acabou. É uma maneira de agir mais direta, mais honrada. Mas o fingido costuma ser tão insinuante, tão agradável que fica difícil pegá-lo em flagrante.
E agora? Magoei o meu amigo. Ele está sentido comigo. Chamei o pai dele de velho, perguntei se ele tomou uma bebedeira. Falei rudemente, como um adulto, que tantas vezes causa embaraço a uma criança, a magoa e nem sequer se dá conta.
Entro no portão do meu edifício e vejo o mesmo gato de ontem sentado na escada. Sinto pena dele, tenho vontade de lhe fazer um carinho, mas ele dá no pé. Quer dizer que está lembrado. Deus é capaz de me castigar pelo que fiz ao gato, e não me deixarão ficar com Malhado lá em casa.
Mamãe pergunta:
— Como foram as coisas na escola?
Pergunta com doçura. Talvez esteja sentindo que ontem gritou comigo injustamente.
Respondo:
— Nada de novo.
Ela insiste:
— Você não ficou no canto, de castigo?
Lembro-me do que aconteceu e digo:
— Fiquei de castigo, mas no próprio banco.
— E você ainda diz que não aconteceu nada de novo?

— Esqueci.
Pego uma faca e ajudo mamãe a descascar batatas. Ela pergunta:
— Ficou de castigo por quê?
— Eu não estava prestando atenção.
— Por que não estava prestando atenção?
— Fiquei pensando em outra coisa.
— Em quê?
Acelero o meu trabalho, como se estivesse muito concentrado nele, e não respondo.
— Sabe, é ruim você ter esquecido. Uma criança decente tem vergonha quando é castigada, e procura fazer que isso não se repita. A professora dá castigo para ensinar, para dar um exemplo, para você entender melhor as coisas. Mas se você esquece, todo o ensinamento do castigo vai embora. Precisamos nos lembrar dos nossos castigos.
Olho para mamãe e penso: "Coitada da querida mamãe, que não sabe nada e nada entende". E penso ainda: "Coitada e velhinha".
Porque, do jeito como ela está sentada, inclinada, vejo seus cabelos brancos e suas rugas. Talvez ainda não velhinha, mas tem uma vida dura.
Continuo pensando: "É bom ter mãe outra vez. Os pais causam preocupações às crianças, mas sem eles a vida é pior, é ruim, muito triste e ruim".
— Você deve ter aprontado alguma na escola.
Digo:
— Nada, não.
— E não está mentindo?
— Ia mentir por quê? Se não quisesse, não teria nem contado a história do castigo.
Mamãe reconhece:
— Bem, é verdade.
E ficamos em silêncio. Mas é como se continuássemos conversando. Porque eu tenho o pensamento fixo no pedido que devo fazer pelo meu Malhado, e mamãe sabe que tem alguma coisa que não estou dizendo, estou escondendo.

······(Janusz Korczak)······

Nós, crianças, gostamos de bater papo com os adultos. Eles sabem mais. Só que não precisavam exigir tanto de nós. Podiam nos tratar mais suavemente. Não deviam passar o tempo todo ralhando, reclamando, resmungando, gritando, passando descomposturas.

Se mamãe me fizesse outro dia a mesma pergunta — "Quem sabe está mentindo?" —, eu talvez ficasse irritado e respondesse, ainda que com as mesmas palavras, mas com raiva dentro delas.

Os adultos não querem compreender que a criança responde à doçura com doçura, mas que à violência ela logo reage com uma ânsia de desforra, vingança. Como se dissesse: "Sou assim e não vou mudar".

Quando na verdade cada um de nós, mesmo o pior, quer sempre melhorar.

Talvez a maior diferença entre crianças más e adultos maus consista no fato de que vocês já tentaram, tentaram e não deu em nada, então paciência. Enquanto nós estamos lutando, brigando conosco mesmos, nos empenhando, tomando decisões, e quando acontece de a gente falhar vocês logo fazem desabar uma tempestade em cima de nós. Isso atrapalha enormemente. Quanto mais a gente se esforça — e parece até que está conseguindo —, de repente acontece alguma coisa e temos de começar tudo de novo. Dá raiva, dói, desanima. E vocês, em vez de nos ajudarem e estimularem, vêm logo na base do mata e esfola. Por isso às vezes temos aqueles dias fatídicos, aquelas semanas de azar. Quando uma coisa não dá certo, vem logo um segundo fracasso, um terceiro; e tudo nos cai das mãos.

E o pior é quando alguma coisa não dá certo e vocês levantam imediatamente a suspeita de má vontade. Às vezes não ouvimos bem, ou ouvimos incorretamente, ou não entendemos, ou entendemos mal. E vocês acham que é de propósito. Pode até mesmo se tratar de uma intenção de lhes fazer uma surpresa, um agrado, mas como não temos experiência a coisa desanda e resta um estrago, um prejuízo. Quem mais sofre somos nós — então, por que brigar com a gente?

Pobres daqueles que sentem intensamente.

———————(*Quando eu voltar a ser criança*)———————

Fico zanzando pela sala. Tiro os vasos de flores da janela e limpo a poeira. Depois, começo a limpar a sala inteira. Mamãe fica admirada. E assim fazemos as pazes, depois daquilo de ontem. Quem sabe? Talvez eu também tenha tido um pouco de culpa. Porque não se deve chegar atrasado para o almoço. E, depois, até mesmo os santos pecaram.

— Saia um pouco, vá brincar lá fora — diz mamãe. — Vai ficar trancado aqui dentro a troco de quê?

— Então vou buscar Irene na escola.

— Muito bem, vá.

Visto-me e vou andando, nem eu mesmo sei por quê. Talvez por causa de Malhado. Pois é preciso tomar conta também de crianças pequenas. Não sou um bom irmão. Tenho pena de um cachorro, mas para com a minha própria irmã não tenho um verdadeiro carinho. Carinho não digo, mas não tenho compreensão.

É claro que um pirralho desses tem que incomodar, mesmo que seja de puro tédio. Quando concordo em brincar com ela, é como se estivesse fazendo um favor. Mas em geral reclamo com ela, chego até a lhe dar uns empurrões. Igualzinho ao que os adultos fazem conosco, crianças maiores. Está se vendo que é deles que vem o exemplo.

São três os principais motivos pelos quais não gostamos das crianças menorzinhas:

Em primeiro lugar, porque os adultos nos mandam sempre ceder diante delas, quer elas tenham razão ou não.

Em segundo, porque nos mandam sempre dar o bom exemplo.

Finalmente, mandam brincar com elas quando elas estão atrapalhando.

Muitas vezes, por causa dos irmãos mais novos, recebemos uma descompostura. Sofremos, então, duplamente: por nós mesmos e pelo menorzinho.

Por exemplo, eu tenho determinado objeto e Irene cisma que quer ficar com ele. Darei se quiser, porque sei muito bem o que posso dar e o que não posso. Quando nós cismamos que queremos alguma coisa, será que os adultos se abalam? Que nada, gritam com

―――(Janusz Korczak)―――

a gente; e, se nos dão o que estamos pedindo, só para que os deixemos em paz, é pior ainda, porque prova que pedindo com gentileza não se consegue nada. Já o pirralho, quando se sente protegido pelos adultos, aprende a abrir o berreiro toda vez que quer conseguir alguma coisa. É muito irritante.

Deixe ele chorar. Mas não, ele não chora: berra altíssimo, a pleno volume, para que todo mundo ouça, para que apareça logo uma multidão.

Tivemos aqui no prédio um casal de vizinhos. Quando o marido não queria dar à mulher aquilo que ela pretendia ganhar, ela abria um berreiro que ressoava pelo edifício todo.

E o marido só repetia:

— Fique quieta, você está envergonhando a mim e a si mesma.

E ela:

— Mas eu quero mesmo envergonhar você. Deixe todo mundo saber, deixe juntar o edifício todo! Deixe que venha a polícia, deixe que chamem a ambulância, deixe que saia tudo nos jornais!

Deve ter se acostumado desde pequena. Porque é o que os pequeninos costumam fazer. Berram. E os adultos não estão interessados em saber o que aconteceu de verdade, só querem o silêncio. E logo começam: "Ela é tão pequena, você deveria ceder".

É preciso ceder diante dos adultos e também dos menorzinhos.

O adulto pode dar uns safanões, nem sempre com justiça; mas basta o irmão maior tentar a mesma coisa e eles ficam logo com pena, mostram-se protetores.

Fiz um catavento para mim. Custou-me meio dia de trabalho duro.

— Me dá!

E começa a arrancar da minha mão.

— Vá embora, senão apanha!

Ela insiste:

— Me dá, me dá!

E mamãe, como procede?

— Faça outro catavento para você.

(Quando eu voltar a ser criança)

Faço se quiser. Mas por que a menina não pede com bons modos e espera, em vez de arrancar da minha mão e:
— Mamaaaãe!
Fica difícil controlar a raiva. E o que ela quer mesmo é ganhar um safanão, porque aí terá um bom motivo para nos denunciar. E lá vem logo, para cima de nós, a lenga-lenga:
— Que belo irmão! Um rapaz da sua idade fazendo isso!
Como se eu tivesse culpa.
Quando é mais conveniente para eles, sou pequeno; quando é mais conveniente, sou grande.
Ou então acontece de eu ser responsabilizado não só pelos meus atos, mas também pelos da irmãzinha: "Foi você quem a ensinou. Foi você quem mostrou. Foi de você que ela ouviu. É o seu exemplo".
Por acaso eu mandei que ela me imitasse? Se dou um mau exemplo, basta ela não me seguir, não me dirigir a palavra, não brincar comigo.
Mas não. Justamente querem que eu brinque com ela. E de que maneira?
"Vista o sobretudo, senão ela também vai querer sair sem casaco. Você não vai ganhar cerveja nem salsichão, senão ela também vai querer. Vá dormir, porque ela não quer ir dormir sozinha."
Você acaba tendo tantos problemas por causa da criança pequena que prefere não ter nada que ver com ela. Mas não: vocês têm de ir brincar juntos.
Vá lá.
Existem brincadeiras em que se pode aproveitar o pirralho. Tem coisas que ele pode fazer. Mas então que ouça, que não estrague a brincadeira, que entenda que não pode fazer tudo aquilo que nós fazemos.
Explicamos tudo direito:
— Fique sentada ali, você vai fazer isso e aquilo.
Mas ela não quer. Quer é correr. Não adianta alegar que vai cair, ficar com um galo na testa, rasgar a roupa. E que vai atrapalhar, que a gente vai esbarrar nela.

―――(Janusz Korczak)―――

Para os adultos, criança é criança, tanto faz que tenha 5 ou 10 anos. É tudo a mesma coisa — muito conveniente para eles:
— Crianças, vão brincar.
Você é o mais velho, tem de tomar conta, ceder, dar o bom exemplo. Tudo muito conveniente.

São eles, os adultos, que semeiam a discórdia entre os irmãos; por isso é difícil a gente viver em harmonia. Por isso procuramos evitar o pequenino e só nos aproximamos dele quando estamos muito entediados ou quando queremos conseguir alguma coisa.

Admito que nós também não somos isentos de culpa. Há muita tapeação entre nós. Basta o menorzinho ganhar alguma coisa, aparece o amigo que tenta se apoderar do objeto. Faz de conta que está brincando, mas quando consegue o que quer, nem se digna a olhar para o outro. E o pequeno ficou orgulhoso, porque lhe pediram alguma coisa, ou então tem vergonha de cobrar que lhe devolvam aquilo que tomaram dele.

Porque, é claro, existem diferentes personalidades entre os maiores, bem como entre os pequeninos.

Por isso os mais honestos não costumam se dar com os pirralhos, para não levantar suspeitas; e quem acaba lidando com eles são os piores elementos.

A verdade é que os adultos dão maus exemplos às crianças e as estragam. Assim, desde a infância, começa a crescer um esquisitão. E mais tarde, quando chega à idade da razão, já é difícil mudar de hábitos, melhorar.

Vou andando pela rua, refletindo. Eis que vejo o meu Malhado. Paro de imediato. Mas fiz confusão, o cachorro não era nem sequer parecido. Só que agora continuo pensando em Malhado.

"Talvez seja melhor deixá-lo onde está? Quem sabe se está sendo mais bem tratado? Mamãe é capaz de permitir e depois criar caso. Pois se quisessem ter um cachorro em casa, o teriam sem que eu precisasse arranjar um. O melhor talvez seja aguardar alguns dias, para ver o que Roberto conta, saber como Malhado está se comportando. Pois não é que ele fez sujeira na escola? É verdade que estava trancado..."

(Quando eu voltar a ser criança)

E já nem sei se prefiro a alegria de ter Malhado comigo ou a certeza de lhe assegurar um futuro melhor. Afinal de contas, salvei sua vida e arranjei um lugar para ele ficar. Agora talvez seja melhor me preocupar mais com Irene.

Acabo chegando no jardim de infância, onde há uma porção de criancinhas brincando de roda. Seguram-se pelas mãos, giram e cantam.

A professora diz:

— Em vez de ficar parado, venha brincar conosco.

Ela me estende a mão e eu entro na roda.

Em outras condições, eu provavelmente sentiria vergonha e me recusaria, mas aqui ninguém vai me ver. Comecei, então, a participar da brincadeira. Inicialmente, fiz umas palhaçadas, para todo mundo rir. Agachava-me para fingir que era pequenino, ou mancava, fazendo de conta que estava com a perna doendo. Queria também testar a professora, para ver se ela começava a reclamar. Se minha presença não agradasse, iria embora. Mas ela ria também, então entrei de verdade na brincadeira. Os pirralhos estavam contentes, todos queriam ficar perto de mim, segurar na minha mão. Bem, não eram todos, porque alguns ficavam sem jeito, pois não me conheciam. Mas quem estava orgulhosa mesmo era Irene, porque podia mostrar a todos que tinha um irmão mais velho.

Começou então a mandar:

— Você fica aqui, você ali.

Está achando que se alguma coisa acontecer, vou defendê-la. Disse a ela que ficasse quieta, senão eu iria embora.

Os pequenos têm este hábito. Qualquer um deles, quando sabe que tem um mais velho que vai socorrê-lo, é o primeiro a provocar e depois dar no pé, deixando o irmão no fogo para defendê-lo. E o irmão, se não tiver bom gênio, aproveitará para brigar um pouco, porque não corre risco nenhum; se acontecer alguma coisa, ele dirá nobremente: "Por que foram bater no pequenino? Tive de defender meu irmão".

Ele próprio é capaz de dar uma surra quatro vezes maior no irmãozinho querido, mas agora é o tal: o irmão protetor.

───(Janusz Korczak)───

Mais uma vez, quem for honesto preferirá não interferir, mas terá de tomar uma atitude, por mais que saiba que o irmãozinho não tem razão; afinal, caso contrário será responsabilizado pelos pais por tudo que aconteceu com o menorzinho.

A professora precisou escrever uma carta e deixou-me na sala com os meninos, que ficaram sob minha responsabilidade, enquanto ela estava na sala ao lado.

Um só ficou perturbando. Depois contei para a turma a história do Gato de Botas, e o pirralho continuou atrapalhando. Nem sei dizer quanto essas coisas irritam.

Estamos indo para casa, Irene e eu, e de repente ouço um barulhinho no meu bolso. Ao olhar, acho dois centavos. Se fosse mais, guardaria para devolver a Roberto, mas sendo tão pouca coisa nem vale a pena; então dou a Irene. Ela também, quando tem alguma coisa, costuma dividir comigo.

Às vezes aceito, outras vezes não. Porque aceitar algo de uma criancinha é logo chamado de extorsão. Isso porque o sujeito honesto sempre sofre as consequências de uma ação cometida por um mau--caráter, mesmo quando não tem culpa de nada.

Se alguma coisa pudesse ser modificada — mas não sei bem o que —, a nossa vida de criança seria realmente deliciosa. Precisamos de pouco para sermos felizes, mas é justamente esse pouco que nos falta. Parece que os adultos cuidam de nós, mas nossa vida neste mundo não é nada boa.

Vamos caminhando, e sinto prazer por estar conduzindo a menininha, segurando-a pela mão. Tomo cuidados especiais pelo caminho, escolho o melhor trajeto. Sinto-me mais velho, mais forte. A mãozinha dela é tão pequena e lisa, como se fosse de veludo. E tem dedinhos tão miúdos! E você fica admirado constatando que um dia você gosta dessa criancinha e no outro a odeia.

Ela pega uma bala, enfia na boca, depois pega outra e me dá. Não quero aceitar, mas acabo chupando a bala, e ela fica olhando e rindo, contente por me ter oferecido alguma coisa.

É agradável às vezes dar alguma coisa, e não ficar sempre só recebendo e recebendo dos adultos. Mas é chato quando queremos dar um presente aos adultos e eles não aceitam, ou logo nos dão outra coisa que vale mais. Como se quisessem nos pagar. A gente se sente humilhado, como se fosse mendigo.

Deveria ser possível arrumar o mundo de tal modo que tudo fosse um intercâmbio recíproco de bons serviços. Quando me senti triste, Irene me deu o pedacinho de vidro, eu comprei balas para ela, ela me deu uma. Toda uma cadeia de bons serviços.

Chegamos em casa, entramos. Titia está visitando mamãe. E anuncia logo:

— Olhe só, os seus bezerrinhos estão chegando.

Por que bezerrinhos e não gente? O que fizemos de mau para a nossa tia nos chamar de bezerros? Só as vacas põem bezerros no mundo. Então, por que essa provocação vulgar?

Estou irritado e nem a cumprimento. Aí quem fica irritada é mamãe.

— Que grosseria é essa? Por que não cumprimenta a sua tia?

— Cumprimentar para quê? Não estive ontem na casa dela?

— Mas isso foi ontem, e agora é hoje.

— Os bezerrinhos não cumprimentam — murmurei.

— Que história é essa de bezerrinhos? — pergunta mamãe, que não ouviu bem, porque só os insultos dirigidos a adultos são ouvidos e registrados.

Minha tia dá uma gargalhada:

— Vejam só como é suscetível! Ficou ofendido.

E já se levanta para me dar um beijo, mas eu viro o rosto. Que grande favor esse de me lambuzar de saliva.

— Não dê importância a esse grosseirão — diz mamãe.

Muito bem, um grosseirão. Que seja. Fiquei ofendido. E não tenho direito? Se não me der ao respeito agora, quando crescer também deixarei que me maltratem.

Sento-me e faço de conta que estou ocupado com os deveres de casa. Mas estou tremendo de indignação. E lembro que no bonde o pessoal também ficou rindo de mim, achando-me presunçoso. Os adultos pensam que a criança é incapaz de se ofender. Como se fosse uma arte difícil. Cada um sabe o que lhe é agradável e o que não é.

Dizem que as crianças são teimosas. Cismou e não quer cumprimentar. Não quero, e pronto.

"Diga isso já, faça aquilo neste instante!"

Que nada. E não é por pirraça; é porque você prefere apanhar a perder a honra. Eles não deveriam nos forçar, porque acabam nos tomando rancorosos.

Escrevo sentado de costas para eles. Mas já não escrevo tão rápido como antigamente. Será que estou virando criança em tudo? Será que vou esquecer aquilo que sabia quando era adulto? Então terei outra vez dificuldade na escola. E será necessário prestar atenção de verdade. Seria horrível.

Nesse momento ouço uma sirene, é o Corpo de Bombeiros que está passando.

— Posso?

Olho para mamãe, suplicante, e aguardo seu veredito. Não sei o que acontecerá se ela não der licença. Quantas vezes os adultos simplesmente dizem "não pode", sem refletir, e esquecem logo, sem ter ideia de quanto sofrimento causaram?

Por que "não pode"? Digam, por quê? Porque têm receio de que aconteça alguma coisa, ou porque querem ser deixados em paz, ou porque aquilo que pedimos lhes parece desnecessário, ou o que mais? Uma bagatela, nada de importante. Eles bem que poderiam, mas não querem, e pronto. É "não pode" e estamos conversados.

Mas nós sabemos que "pode, sim" seria igualmente possível, que a proibição é puramente acidental, que se eles se dessem ao trabalho de pensar um pouquinho, de nos olhar nos olhos e ver a intensidade do nosso querer, acabariam concordando.

Pergunto, como já disse:

— Posso?

E fico aguardando. Os adultos nunca aguardam nada desse jeito. A não ser, talvez, o preso que espera a hora de ganhar a liberdade.

Fico aguardando, e parece-me que se mamãe não me deixar, nunca mais a perdoarei. Os adultos acham que nós sempre pedimos tudo ao mesmo tempo e de qualquer maneira, e esquecemos logo a seguir. Isso acontece, é verdade, mas acontece também coisa muito diferente. Às vezes nem chegamos a pedir, porque não queremos ouvir uma áspera recusa (como dói, sobretudo quando recusam, ainda por cima, com ironia, com uma espécie de inflexão maliciosa); então preferimos esconder a dor dentro de nós, e não pedimos nada; ou então aguardamos longa e pacientemente, até eles ficarem de bom humor e se mostrarem satisfeitos conosco, a ponto de se tornar difícil para eles negar o que estamos pedindo. Mesmo assim, há ocasiões em que não dá certo, então ficamos com raiva deles e de nós mesmos: "Por que me apressei tanto, quem sabe em outro momento eles teriam deixado?"

Tenho a impressão de que os adultos têm olhos diferentes dos nossos, e olham de maneira diferente. Quando um colega me pede alguma coisa, basta eu olhar para ele e já sei o que fazer. Sou capaz de concordar de uma vez, ou estabelecer uma condição, ou pedir mais informações, ou adiar para mais tarde. E, mesmo que não possa de todo atender, não me atreverei a simplesmente negar, assim sem mais nem menos.

Ontem, por exemplo, um garoto no meio da aula pediu licença para ir ao banheiro. A professora respondeu:

— Chega de ficar zanzando! Podia ter ido no intervalo.

Está certo, eu sei, tem uns que ficam zanzando sem necessidade. Mas que culpa tinha o garoto? Para mim, bastaria olhar para saber. Finalmente ela o deixou sair, mas quando a aula terminou, ficou reclamando com ele, chamando-o de agitado. Nem lembrava mais que ele havia ido ao banheiro. E sei que depois ele começou a fazer bagunça por vingança, porque havia sofrido tanto, havia levado um grande susto pensando no que aconteceria se não desse tempo.

―――(Janusz Korczak)―――

Os adultos não sabem quando e por que motivo fazemos pirraça de propósito. Pensam que só eles são capazes de aplicar castigo, de tal e tal maneira. Nós também os castigamos, com a nossa desobediência, quando fizeram por merecer.

Por que será que temos um comportamento perante uns e outro perante outros?

Se tivesse sido outra tia que me chamasse de bezerro, eu não me ofenderia, porque poderia ser uma brincadeira. Mas esta não o faz pela primeira vez. Tem um tom de voz pretensioso, gosta de dar ordens e é muito orgulhosa. Que seja; mas também costuma fazer pouco caso das crianças, e fazer intrigas contra elas. Deve estar furiosa por ter muitos filhos, mas quem mandou? Era só não tê-los.

"Tenho de brigar tanto com eles. E custam tanto dinheiro. Vivo tirando pão da minha boca para dar a eles. Vivo me sacrificando."

Tira o pão da própria boca, mas é gorda que nem um tonel. Criança custa dinheiro, isso é inevitável.

Certos adultos parecem nem nos enxergar. Exclamam: "Bom dia, meu bravo" ou "Vejam só que meninão!" só para dizer alguma coisa. Logo se vê que não sabem dizer mais nada, e parecem constrangidos. Se forem nos afagar a cabeça, o farão com cuidado, como se tivessem receio de arrancar ou quebrar alguma coisa. Trata-se de pessoas fortes e bondosas, cheias de delicadeza. Gostamos de ouvi-las conversar com outros adultos, contar suas aventuras, episódios da guerra. Gostamos delas.

Mas existem outras que, como se não tivessem mais nada para fazer, inventam piadas, brincadeiras e apelidos malucos. Têm uma barba que nos arranha, fedem a cigarro, mas fazem questão de nos fazer festa. Apertam-nos a mão com força e ficam rindo porque sentimos dor. Ou nos jogam no ar e estão convencidos de que achamos isso uma grande farra.

"Vou te jogar pela janela, vou te cortar com a faca, vou te decepar as orelhas, assim você não precisará mais lavá-las."

É tudo tão tolo e sem sentido. Só nos resta ficar esperando até que desgrudem.

(Quando eu voltar a ser criança)

Com as mulheres é outra jogada: elas ficam nos alisando, abraçando e beijando. Beijando na boca, ou apertando tanto que ficamos com as costelas doloridas. E temos de nos manter amáveis, porque elas gostam tanto de nós.

E quando aparece um adolescente de uns 16 anos e começa a querer mostrar que já é adulto, a coisa fica realmente insustentável. Tudo acaba numa choradeira ou numa outra desgraça.

O melhor seria nós ficarmos de um lado e vocês de outro.

Bem, mamãe me deixou ir ver o incêndio. Já não era sem tempo: se os bombeiros desaparecessem, como é que eu acharia o incêndio?

— Mas volte logo.

Deve querer conversar a sós com a tia, caso contrário não me deixaria ir com tanta facilidade.

E titia já se intromete:

— Não gaste muito os sapatos.

Ela sempre tem de meter o nariz onde não é chamada. Para quem sabe interpretar, isso quer dizer:

— Volte logo.

Saio correndo, porque tenho medo de não chegar a tempo, ou de mamãe inventar mais alguma coisa, ou de Irene querer ir junto. Nunca se sabe ao certo o que nos espera. O jeito, então, é pegar o boné e desaparecer. Descer a escada de quatro em quatro degraus. O que é possível, só que é preciso segurar bem o corrimão, e às vezes uma farpa se enfia na mão. Azar: preciso correr o risco.

Um garoto na rua sabe onde é o incêndio. É por perto. Um armazém que vende querosene. Dizem que no porão tem gasolina. Se pegar fogo, o prédio todo irá pelos ares. Os guardas estão dispersando a multidão; os capacetes e apetrechos dos bombeiros brilham refletindo a luz das chamas.

Não desejo que os tonéis com gasolina peguem fogo, porque haverá grande prejuízo e gente desabrigada. Mas sem ver as pessoas de perto não sentimos tanta pena delas, e seria interessante ver a explosão, e a casa caindo.

―――(Janusz Korczak)―――

Por que é agradável olhar para as coisas terríveis? Ver um acidente, alguém se afogando, uma bicicleta sendo quase esmagada por um carro, um ladrão sendo pego e coberto de pancadas? Talvez seja por isso que existem as guerras, porque as pessoas gostam de sangue e de perigo. Mas de todas essas coisas a mais linda é o incêndio. E é o combate mais nobre.

Não são só as crianças, os adultos também gostam de ficar parados, olhando. Como se eles pudessem ser úteis por ali; enquanto nós:

— Vá embora! Não tem nada para você fazer aqui.

Desloco-me, pois, de um lugar para outro, e continuo olhando, mas ao mesmo tempo pensando que já está na hora de voltar, que só me deixaram sair por poucos minutos. Mas não se pode ir embora antes que tudo acabe, por mais que se tenha medo da descompostura que virá depois.

Dizem que a ambulância deve estar chegando, porque uma mulher sofreu queimaduras. E não se vê mais fogo, apenas fumaça. Acho que não vou esperar a ambulância. De qualquer modo, não conseguirei chegar perto para ver.

Mas eis que uma nova coluna de fogo se levanta. E um bombeiro instala uma mangueira no primeiro andar. "Quando a água sair da mangueira, irei embora." Mas quem sabe é agora que o prédio vai cair?

Agora já estou torcendo para que tudo acabe. Seria o caso de rezar um pouco? Mas os guardas nos afastam outra vez. De novo estou vendo mal e fico com vontade de ir para casa. Mas ouço dizer que alguma máquina dos bombeiros enguiçou e que deve vir um novo destacamento.

E uma senhora corre e grita outra vez, os guardas a agarram, ela procura se soltar. E vejo Félix e Breno, e Gilberto. E já quero muito, de verdade, que apaguem logo o incêndio. Mas ninguém arreda pé, e se os outros ficam, é chato eu ser o único a ir embora.

Um incêndio não é bem um jogo. Mas quantas vezes somos obrigados a interromper alguma atividade agradável no momento mais fascinante para não chegar tarde, ou porque alguém mandou.

(Quando eu voltar a ser criança)

Com os adultos não é diferente. Quando visitam alguém e estão se divertindo, repetem meia dúzia de vezes: "Bem, está na hora de ir para casa". E respondem do mesmo modo: "Só um minutinho".

E tome o último gole, a última dança, a última rodada de cartas — e agora é preciso ir, porque fingem estar com pena das crianças que estão com sono, e porque amanhã têm de levantar cedo. Eles, pelo menos, têm relógio e sabem de quanto será o atraso. Nós não sabemos nada, a não ser que estamos sem vontade de ir embora.

A mulher diz: "Vamos já"; e o marido: "Daqui a pouquinho". E sabem que, quando chegarem em casa, ninguém vai brigar com eles.

O que dá mais raiva é quando a brincadeira é divertida e depois a gente chega em casa com medo e imediatamente começa a confusão. Se pelo menos esperassem até amanhã...

Chegamos até a pensar: "Não quero brincar nunca mais, nunca. Já não acho graça nas brincadeiras, nem em nada".

A gente abre mão de qualquer alegria.

Volto correndo para casa, e mamãe limita-se a dizer:

— É isso que você chama de voltar logo?

Fico esperando que ela pergunte onde era o incêndio. Mas ela tem de sair.

Começo a fazer os deveres e Irene se aproxima:

— Você foi aonde?

Respondo "vá embora!", porque li o problema e não sei muito bem como resolvê-lo. Mas ela continua parada. Digo então:

— Fui ver o incêndio. Vá embora.

E ela:

— O que foi que queimou?

De qualquer maneira, ela não vai entender. Mas tenho bastante paciência.

Respondo:

— Foi um armazém.

Irene insiste:

— Por quê?

— (*Janusz Korczak*)—

— Porque você está com o nariz sujo! Vá limpar.
Minha irmã fica envergonhada e vai embora. Sinto pena por ter falado tão agressivamente. E já é a segunda vez hoje: de manhã com Mundinho, agora com ela. Então digo:
— Vem cá, vou te contar.
Mas ela já está longe. Deve ter ficado ofendida. Releio, então, o problema, porque amanhã a primeira aula é de matemática.
Mas eis Irene de novo:
— Já limpei o nariz.
Não respondo nada.
Ela continua parada e fala baixinho, como se falasse consigo mesma:
— O nariz já está limpo. E minha calcinha não está aparecendo.
Tão humilde, coitadinha: tem medo de que eu brigue com ela.
Fazer o que, então? Contar, não tem outro jeito. Começo, mas ela não entende nada. A toda hora pergunta:
— Por quê?
Por que a água, por que as mangueiras, por que os bombeiros, por que a gasolina? Está viva? É grande?
É pequena e não entende. Eu também não entendia.
— Espere, vou desenhar para você.
Desenho um bombeiro de capacete, uma mangueira; é como se estivesse dando uma aula.
Se não fôssemos nós, os pequeninos não saberiam nada. Somos nós que lhes ensinamos tudo. Nós aprendemos dos mais velhos, e eles de nós. É assim que se transmite a ciência.
Não sei mais o que dizer, então peço:
— Repita.
Ela diz:
— No armazém, a água pegou fogo. Chegou a polícia e mandou ir embora. E tinha fogo, e tinha incêndio.
Ela pensa que fogo é uma coisa e incêndio outra.
— Por causa do fogo aconteceu o incêndio.

―――(*Quando eu voltar a ser criança*)―――

O narizinho está escorrendo outra vez, mas não digo mais nada. Deixe estar. De qualquer modo, não resolverei o problema. Decorei um poema, lendo-o em voz alta. Irene ficou ouvindo.

Mamãe voltou e eu desci para patinar. Fizeram uma longa pista de patinação em cima do canal congelado. Quero aprender a patinar agachado em cima de uma perna. Já sei dar voltas e andar de costas. Mas caí quatro vezes. Eu me machuquei um pouquinho.

E estava tristonho quando fui dormir.

Tinha mais saudade ainda do que quando era adulto. Saudade e solidão.

Saudade, solidão e desejo de uma vida de aventuras.

É melhor nascer na África, onde há leões, canibais e tâmaras.

Por que as pessoas vivem amontoadas? Há tantos espaços vazios no mundo, e todos ficam se apertando na cidade.

Seria bom morar um pouco no meio dos esquimós, dos africanos ou dos índios.

Como deve ser bonito o incêndio da mata virgem.

Também seria bom cada um ter um pequeno jardim na frente de casa. Para plantar canteiros de flores, regá-las, vê-las crescer.

Volto a pensar em Malhado. O que devo dizer a Roberto?

Já não tenho tanta vontade de ficar com ele. Vai me trazer problemas. Sou capaz de ficar irritado e bater nele. Depois vou me arrepender. E o zelador vai correr atrás dele, e a garotada do pátio também. É uma responsabilidade grande demais ficar tomando conta de uma criatura viva.

Se Roberto quiser, que fique com ele.

Amor

Finalmente aconteceu a festa. Mamãe pôs o vestido que as traças haviam estragado. Mas titia o consertou muito bem, não se via nada. Era aniversário de alguém e vieram visitas. Houve dança. A festa começou à noite e não sei quando acabou, porque fui dormir no apartamento de Carlos.

Veio Mariazinha de Vilnius. Dancei com ela. Dancei porque o tio Pedro mandou. Eu não queria. Mas tio Pedro disse:

— Que cavalheiro é você? Uma senhorita viajou de Vilnius até aqui para vê-lo e você não quer dançar com ela?

Fiquei envergonhado e fugi para a escada. Por que falar assim? Como se ela tivesse vindo só para me ver. Vai ver que ela ficou sem jeito. Mas o tio me pegou e me levantou no ar. Procuro me soltar, dou pontapés. Ele está bufando, mas não me larga. Fiquei com raiva por me sentir cada vez mais envergonhado. Afinal, ele me pôs no chão e disse: "Vá dançar!" E meu pai o apoiou:

— Não seja mal-educado, vá dançar com a visita. A visita de Vilnius.

Fico ali parado, sem saber o que fazer, porque minha vontade é fugir, mas tenho medo de que me peguem e comecem a me puxar outra vez. Disfarçadamente, arrumo a minha roupa, verifico se nada desabotoou nem rasgou.

Mariazinha apenas olha e diz:

— Não fique com vergonha, eu também não sei dançar bem.

Ela se aproxima de mim e me pega pela mão. Tem uma fita azul, um grande laço que lhe prende os cabelos de um lado.

— Venha, vamos tentar.

Olho furioso para o tio, que está rindo. Todos se afastam, eu e ela ficamos sozinhos no meio da sala. Papai está por perto. Sei que, se eu desobedecer, ele ficará irritado — é capaz de me expulsar da festa. É, não tem jeito.

Começamos a rodar. Ouço um zumbido na cabeça, porque já é tarde, e porque bebi cerveja. Digo então: "Bem, chega". Mas todos exigem: "Mais! mais!" Sinto calor. Que belo espetáculo o pessoal resolveu encenar! Como Mariazinha não para, continuamos; agora estou dançando mesmo, seguindo a música, o ritmo.

Não sei se durou muito ou pouco tempo. Durou até Mariazinha dizer:

— Bom, chega, estou vendo que você não quer.

Respondo:

— Não é problema de não querer, só que minha cabeça está girando.

E ela:

— Eu poderia dançar a noite inteira.

Depois os mais velhos começam a dançar. Mariazinha e eu ficamos parados perto da porta.

— Varsóvia é uma cidade muito bonita.

Eu digo:

— Vilnius também é.

— Você já esteve em Vilnius?

— Não, mas a professora contou, na escola.

Ela me trata de "você", e eu não sei como falar. Os adultos têm um critério: quando não se conhecem bem, dizem "o senhor", "a senhora", e pronto. Mas nós, crianças, nunca sabemos. Geralmente falamos "você", mas quando se vê uma moça pela primeira vez, não seria mais correto dizer "a senhorita"? Realmente não sei. Isso nos causa embaraço, preocupação, aflição. Precisamos nos virar, procurar uma solução que não nos comprometa.

Ela, Mariazinha, veio passar só alguns dias em Varsóvia, talvez uma semana, e depois volta para Vilnius.

— Vai ficar muito tempo?
— Quem?
— A senhora... tia... sua mãe... e Mariazinha também.
— Uma semana, talvez.

A viagem é de trem noturno. Até hoje nunca viajei de trem durante a noite.

— Eu gostaria de morar sempre em Varsóvia — disse ela.
— E eu preferiria em Vilnius.

Falei assim por falar, para mostrar que acho Vilnius uma cidade bonita.

Ela começou a enumerar as ruas de lá, e eu as de Varsóvia. Depois os monumentos e lugares históricos.

— Venha nos visitar um dia, eu lhe mostrarei tudo.

Respondi tolamente:

— Irei, sim.

Como se dependesse da minha vontade.

Carlos se aproximou e começamos a falar da escola. Como são as professoras aqui e lá, que livros são usados nas duas cidades. Foi uma conversa muito agradável. Mas tio Pedro nos viu parados ali, então me afastei logo, para que ele não voltasse a me provocar.

Depois pediram a Mariazinha que cantasse. Ela não ficou encabulada. Quando canta, olha para cima, como se estivesse contemplando o céu. E sorri.

Voltamos a conversar. Estêvão contou que no pátio deles há três trenós. Um grande, em que cabem duas pessoas. Ele convida Mariazinha:

— Venha me ver, vou te levar pra passear.

E lá tem também uma boa pista de patinação. Tudo lá no pátio deles. Não gosto quando alguém conta muita vantagem.

Foi assim que terminou o meu baile.

Aquela senhora, a tia, chamou Mariazinha, e foram embora. E mamãe me disse:

— Não acha que está na hora de ir dormir?

Não ofereço resistência, só pergunto:
— Onde?
Ela explica:
— Na casa dos Gorski. São os pais de Carlos.
— Amanhã cedo tem escola.
Sei que se pedisse para ficar mais um pouco ela deixaria; mas vou ficar fazendo o quê? Estou com sono e entediado. Irene já havia ido para lá logo depois do jantar. E eu dormi na cama de Carlos.
Carlos pergunta:
— Por que lá em Vilnius eles falam tão arrastaaado?
— Sei lá.
— Pensei em perguntar àquela Mariazinha, mas ela podia ficar sem jeito.
— Claro que ficaria.
— O cabelo dela parece de cigana.
— Que nada: as ciganas têm cabelo duro, e o dela é bem macio.
— Como você sabe?
— A gente logo vê.
— Tio Pedro falou que ela tem cabelo de cigana.
Respondo irritado:
— Tio Pedro não sabe nada de nada.
Carlos boceja, fica calado e em seguida diz:
— Nós aqui não temos nenhuma menina como ela.
Eu, nada.
— Bacaninha, ela.
Eu, nada.
— Canta bonito.
Fico torcendo para ele se virar logo de costas para mim, porque sendo ele o dono da casa, não fica bem eu não querer conversar com ele.
Por isso pergunto:
— Você fez os deveres para amanhã?
— Que deveres, que nada... — Bocejou e, finalmente, propôs:

— Bem, vamos dormir. Mas por que você aceitou logo sair da festa? É capaz de ter coisas divertidas.
— O que pode ter de divertido? Vão se embebedar mais um pouco, é só.
— E você bebeu vodca? Eu tomei dois copos.

Amanhã vai contar na escola seu feito de herói: tomou dois copos de vodca e não ficou com a cabeça girando.

Carlos se vira para a parede, mas tem o cuidado de perguntar:
— Não está com frio? Tem bastante cobertor pra você?
— Está tudo bem.

Quando estamos com sono, ficamos irritados por qualquer coisa. Sinto-me constrangido por não gostar de Carlos, que me perguntou se eu não estava com frio. E por que eu disse que o pessoal na festa vai ficar bêbado? Não se deve julgar os adultos. Não há nada a fazer: eles são diferentes e têm divertimentos diferentes. Mas se não fosse tio Pedro, eu nem teria trocado duas palavras com Mariazinha. Pois nós temos sempre vergonha de tudo. Temos sempre receio de fazer ou dizer uma bobagem. Sempre em dúvida sobre se o que fazemos está bem-feito. Sempre com medo de que os outros riam de nós.

E nem sei o que é pior, os outros rirem de nós ou gritarem conosco. Em casa, na escola, em todo lugar é a mesma coisa. Você faz uma pergunta, se confunde ou se engana e logo vêm gargalhadas e ironias.

Cada um quer ser o mais inteligente e espera a primeira oportunidade para ridicularizar e humilhar os outros.

Esse receio de ser objeto de chacota nos intimida, inibe, tolhe a tal ponto que vivemos inseguros; e quanto mais precauções tomamos, tanto mais fácil se torna algo inconveniente. É como quando patinamos no gelo: cai mais vezes aquele que tem mais medo.

"Bem, amanhã vai ser preciso construir um trenó", penso; e adormeço.

Mal adormeci e já estou sendo acordado; dizem que está na hora de levantar. Dormi algumas horas, mas nem percebi.

Fico esfregando os olhos durante o café da manhã, estou sem apetite, e papai pergunta:

— Quem sabe você não vai à escola hoje?

Pensa que vou ficar contente de poder não ir à escola. E depois acrescenta:

— Brincadeira é brincadeira, escola é escola.

Verifico atentamente minha pasta, para ver se não estou esquecendo nada — a caneta ou outra coisa qualquer. Porque quando estamos com sono precisamos redobrar nossos cuidados. Mas não: está tudo em ordem.

Vou andando. Nas minhas divagações, estou viajando para Vilnius. Passo a noite toda viajando. Faíscas voam do lado de fora da janela — pequenos ziguezagues de fogo.

No caminho da escola e durante as aulas, fico pensando naquela viagem. Na segunda aula sinto sono, esqueço por completo onde estou e me ponho a cantarolar bem baixinho.

A professora ouve:

— Quem está cantando?

Nem assim caio na realidade. Olho em volta de mim para descobrir quem está cantando. Mas Benedito me denuncia, e a professora pergunta:

— Você estava cantando?

— Não.

Eu realmente não tinha percebido. Outra vez me esqueço de tudo e recomeço a cantarolar. Provavelmente com mais força, porque a professora fica furiosa. E Benedito:

— Agora vai dizer que não é você?

Confesso:

— Fui eu.

Só agora eu realmente me dou conta de tudo. A professora olha para mim com surpresa:

— Não sabia que você era capaz de me contrariar de propósito e ainda por cima mentir.

(*Quando eu voltar a ser criança*)

Será que ela não percebe que eu mesmo estou espantado e aborrecido? Porque gosto dela, e ela tem sido gentil comigo. Por que eu iria contrariá-la? Abaixo a cabeça, fico vermelho, e pronto. Não adianta explicar, de qualquer maneira ela não vai acreditar. Agora sei que qualquer um é capaz de dar um grito ou assobiar de repente, como se estivesse dormindo. E todos logo dizem:

— Fez de propósito. É desaforado.

Nojenta palavra essa, "desaforado". Pior do que moleque ou outra coisa qualquer. Tão humilhante. Como se nos expulsasse. Não gosto também da palavra "rigor". Na aula de educação física, por exemplo, o professor fala sempre em "rigor e disciplina". Como se anunciasse que precisa ser rigoroso, castigar, dar surra com cinto.

— Fedelho desaforado.

"Fedelho", outra palavra abominável. E mais uma detestável: "criançada". A gente se lembra imediatamente de cachorrada.

Existem palavras indelicadas que não deveriam ser empregadas na escola. Às vezes se pode deixar de gostar de uma pessoa por causa de uma palavra desagradável frequentemente repetida a seu respeito.

A professora me mandou primeiro para o canto e a seguir para a lousa. Mandou que eu resolvesse um problema bem fácil. O resultado me ocorreu imediatamente. Fiz as contas em voz baixa e disse:

— Quinze.

A professora finge que não ouviu.

— Repita tudo.

Digo irritado:

— É quinze. Ou não é?

E ela:

— Quando você refizer o raciocínio todo, saberá se é ou não é. Mostre para a turma toda acompanhar.

Começo a repetir a demonstração, a contragosto. Acabo me confundindo. Os garotos riem.

— Volte para o seu lugar. A nota é zero.

Vítor pergunta:

— Ele deve voltar para o lugar dele no banco ou no canto?

Vou andando e não consigo me controlar, porque Vítor barrou de propósito a passagem com o cotovelo, então dou-lhe um empurrão. E ele grita o mais alto que pode:

— Está empurrando a troco de quê?

Desgraçado. Chamando atenção para ter certeza de que a professora percebeu. Ela percebeu, sim, mas hesitou entre continuar me atormentando ou punir Vítor.

O rebuliço instala-se na aula. Quando todos estão quietos, tudo corre bem, mas basta surgir um problema qualquer envolvendo um único aluno e logo aparecem comentários, ironias, piadas, risadas e bate-papos. Aí fica difícil acalmar a turma. E a responsabilidade recai sobre o primeiro que começou.

— Deixe para lá, que façam o que bem entenderem.

Deito a cabeça sobre as mãos e finjo que estou chorando. Muitas vezes fazemos isso. É uma boa solução. Um jeito para nos deixarem em paz. Mas não choro; sofro muito, estou muito infeliz.

De repente, penso: "Se Mariazinha fosse professora, seria bem diferente".

Porque, se me comportei mal, existem outros castigos em vez de dar nota zero. E o garoto que foi depois de mim para a lousa e ficou gemendo e remoendo o mesmo problema também acabou chegando ao resultado de quinze.

"Mariazinha não o teria feito. Mas ela é pequena, e vai embora. Vai viajar de trem a noite inteira, para muito longe. Para Vilnius. E não a verei mais. Talvez nunca mais. Nunca mais ela vai cantar. E Mariazinha sorri lindamente, e tem laço de fita azul. E tem cabelo macio, muito diferente do das ciganas."

A professora deve ter ficado profundamente irritada, porque no intervalo veio falar comigo e disse:

— Se você voltar a ficar emburrado como fez hoje, terei de falar com o diretor. E não o defenderei nunca mais.

E foi embora. Não deixou que eu me justificasse. E, mesmo que permitisse, o que eu ia dizer?
Que amo Mariazinha?
Antes morrer do que confessar.
"Ficar emburrado..." Não fiquei emburrado de jeito nenhum. E ela me cobrou uma coisa que aconteceu tempos atrás. Não se deveriam cobrar gentilezas passadas. Os adultos deveriam saber que isso magoa, irrita. Porque insinua que nós somos esquecidos, ingratos.

Ora, quem costuma esquecer são eles; nós lembramos sempre. Por um ano ou mais. Cada falta de tato, cada injustiça, cada demonstração de interesse, cada atitude bondosa. Ponderamos honestamente sobre tudo isso, e eles ganham um aliado ou um inimigo. E somos capazes de perdoar muita coisa quando vemos que há bondade e sinceridade. Eu mesmo, depois que me acalmar, perdoarei a professora.

Mundinho se aproxima e começa a brincar comigo. Percebeu a minha tristeza e quer me consolar.

— Que é isso, você está com medo da matemática? Vai ganhar cinco notas dez, aí o zero vai levar um susto e dar no pé. Sumirá do horizonte, nem correndo atrás você o pegará. Claro, pois você não é o rei da matemática?

Peço baixinho:
— Me deixa em paz.

Vou para o pátio, mas não participo de nenhuma brincadeira. Correr por aí me parece tão tolo!...

"Como seria bom se todas as meninas fossem como ela. Mas quem sabe um dia a gente vai mesmo a Vilnius? Papai arranja um trabalho por lá? Nada é impossível."

Pego um livro na biblioteca. Contos históricos. Vou ler em casa. Volto da escola sozinho. Mundinho não pôde esperar por mim. Enquanto ando, fico chutando um pedaço de gelo.

O macete é tentar chutar em linha reta, mas ele sempre se desvia para a direita ou a esquerda. E eu atrás dele, em ziguezague. Não se deve parar nunca, e sim continuar sempre para a frente. O pior é quando ele bate em alguém, porque aí resvala completamente para o lado, ou então tenho de voltar para trás. Combinei comigo mesmo que tenho direito a voltar dez vezes.

Mas encontro papai na rua e ele briga comigo porque estou estragando o sapato, esfolando a ponta.

Entro pelo portão e vejo que os meninos estão andando de trenó. Junto-me a eles. Mas acaba não sendo muito agradável. Quando se tem um aborrecimento, não adianta brincar: a toda hora lembramos do que nos preocupa. Como se alguém nos acompanhasse, buzinando-nos no ouvido: "Esqueceu? Não lembra mais?"

Não se trata de remorsos, mas de um pensamento importuno. Remorso é outra coisa, mais ameaçadora: "É preciso temer a Deus".

Um garoto diz que Deus não existe, é uma invenção dos homens. Diz que sabe com certeza. Quis até apostar — um bobalhão.

Empurrei os outros duas vezes no trenó, e eles me empurraram uma. Foi o suficiente.

Sento-me perto da janela e fico olhando as ilustrações do livro. Não estou gostando muito. A primeira ilustração é toda heroica. Um guerreiro montado num cavalo. Um combate. Balas de canhão explodem por toda parte. E ele levanta o sabre, parece um boneco. Todo duro e empertigado.

Será por mera coincidência que tudo que é destinado às crianças costuma ser mais malfeito? O bom pintor pinta para os adultos; o medíocre, para as crianças. Os contos que são para nós, e os versos e as canções, parecem feitos de favor. Aquele que não encontra a audiência dos adultos vai procurar a meninada.

Ora, quem mais gosta de fábulas, imagens e canções somos nós.

Os colegas vieram me chamar, porque resolveram fazer um trenó novo, e queriam que eu desse as minhas duas tábuas, barbante e folha de flandres. Torceram a cara, porque acharam que tinha pouca folha de flandres e pouco barbante. Em compensação, o barbante era bem forte.

Uma tábua serviu para fazer o assento; a outra, para reforçar o trenó por baixo. Se tivéssemos mais folha de flandres, poderíamos recobrir o trenó todo por baixo, e ele deslizaria melhor. Mas não faz mal, ficará recoberto só na parte da frente. Dei também os meus pregos — um deles bem grande, que havia achado na rua.

Cada um fica se lembrando do que deu, porque os direitos que terá serão proporcionais à sua contribuição.

É agradável fabricar alguma coisa pessoalmente e passar a ser dono dela. Não se depende de ninguém. Mas é tão raro a criança ser de verdade dona de alguma coisa...

Dizem que a roupa é minha, mas quem comprou foram meus pais. Temos de dar satisfações pelos livros e pelos cadernos, em casa e na escola. Qualquer um se acha no direito de abri-los, olhar e dar palpites.

A professora pode muito bem dobrar um livro, mas experimente fazer isso para ver o que acontece. Dirão logo que não respeitamos nada. Tudo que as crianças fazem tem de ser exemplar.

Possuir coisas em sociedade não é bom. Acabamos sempre brigando. Um leva fulano no trenó e o outro quer levar sicrano. Um terceiro não sabe dirigir o trenó e o faz capotar; não adianta avisar que assim vai quebrar. Ele contribuiu com algumas tábuas, então tem o mesmo direito.

Há também os que não querem empurrar o trenó, só querem ficar sentados nele, como se fossem aristocratas. É verdade, então, que brigamos com frequência; mas não esqueçam que somos, para tudo, deixados à própria sorte.

Os adultos têm inúmeros tribunais diferentes. E nós só temos o recurso da queixa. Mas os adultos não gostam das nossas queixas. Dão a sentença displicentemente, ou beneficiando aquele de quem mais gostam, ou o mais novo, ou a menina, ou ainda consideram as duas partes culpadas, porque discutir é feio.

Pode ser que um dia todo mundo vá viver na harmonia e camaradagem, mas não é para já.

Tem também os garotos que ficam ofendidos por qualquer coisa e logo dizem: "Se é assim, quero minhas tábuas e meus pregos de volta".

―――(Janusz Korczak)―――

Sabem que não vamos devolver. Devolver como? Só desmontando o trenó e inutilizando o trabalho todo. E depois teríamos de procurar outro parceiro e recomeçar tudo do início.
"As crianças gostam de fabricar coisas."
Gostam, é claro; mas quando fazemos alguma coisa, queremos que dure.

Desenhei algo e eis que fulano, numa brincadeira imbecil, rasga ou suja o meu desenho; é uma pena, um desperdício. Arranjei um pedaço de pau, um barbante, fiz um chicote — então não quero que o quebrem. Se fizemos um trenó, que o trenó fique.

Às vezes até que é bom estragar um objeto, porque o novo que faremos a seguir resultará mais bem-feito. Mas é preciso saber antecipadamente o que se quer, e por que se deve começar de novo. Seja porque temos ferramenta melhor, seja porque conseguimos mais material.

Pois me digam: como fazer um trenó sem martelo? Tivemos de pregar pregos com uma pedra. E se ao menos tivéssemos uma boa pedra à mão! Existe uma, mas está presa no calçamento. Pensamos até em escavá-la e depois recolocá-la no lugar. Mas se o zelador percebesse, seria uma catástrofe. Durante uma semana não poderíamos botar o pé no pátio.

Bato, portanto, os pregos com uma pedra redonda, incômoda, e machuco o dedo, onde aparece logo uma bolinha preta. Ainda por cima, o arame me esfolou a pele entre os dedos; agora, quando dobro os dedos, sinto dor. Acontece que foi preciso amarrar a tábua com arame num determinado lugar, porque em vez de um prego grande usamos três pequenos, por isso a tábua rachou e teve de ser amarrada.

O tempo todo alguma coisa enguiça e precisa ser consertada. Chega José.

— Que maravilha, fizeram um trenó e não se pode andar nele.
— Faça um melhor, então.
— Claro, se eu quisesse faria.
— Então está na hora de querer.
— Acontece que não estou com vontade.

(Quando eu voltar a ser criança)

— Chega de conversa fiada, vá embora. Se não está gostando, não precisa olhar.

E ele:

— Ué, não é permitido olhar?

— Não é permitido, não.

Um está cuidando do conserto, os outros dois empurram José para longe. Até que Frank diz:

— Soltem ele e segurem a tábua para mim, porque sozinho não dou conta.

— Mas ele vai ficar parado aí, dando palpites?

— E daí? Coitado, não tem trenó, fica com inveja.

— Imagine, vou ficar com inveja de quê? Dessa porcaria?

Às vezes da discussão sai briga, mas outras vezes sai uma coisa útil. Agora, por exemplo:

— Sem martelo vocês não conseguirão nada.

Respondo:

— Se você é tão sabido, arranje um martelo.

— Vou emprestar o meu martelo para vocês o quebrarem?

— Você tem mesmo um martelo?

— Claro que tenho.

Está contando vantagem ou dizendo a verdade? O fato é que desapareceu e voltou com o martelo.

— É seu?

— E de quem mais?

— Você pegou o martelo do seu pai.

— E se for? Quem pegou fui eu, não você.

Mas se ele pegou sem pedir licença e depois estourar um escândalo, todos nós vamos pagar a conta.

Ele também tem pregos:

— Se me deixarem usar o trenó, empresto os pregos.

Não deveríamos ter aceitado, porque é um sem-vergonha. Mas é preciso ganhar tempo; todos querem andar de trenó, um pouquinho que seja. Então aceitamos. Mas é uma pena. E um martelo de nada adianta se a tábua estiver apodrecida. José é pesado, e anda de trenó como se quisesse quebrá-lo.

Todo esse trabalho para nada.

Começa outra discussão. Então, resolvo ir para casa. Tristeza, tristeza, tristeza.

Irene olha para mim e percebe que tenho um problema, então nem me pede para brincar com ela. Pega um banquinho, senta perto de mim, apoia a mãozinha no meu joelho.

Eu não digo nada, fico só pensando: "Se Mariazinha fosse minha irmã..."

Sei que é um pensamento pecaminoso, porque é como se eu desejasse a morte de Irene para poder ter outra irmã.

Fecho os olhos e coloco a mão na cabeça dela. Aí ela deita a cabeça no meu joelho e adormece logo. E eu rezo uma oração que inventei, pedindo que Irene continue viva e tenha muita saúde, e que Mariazinha seja feliz.

Pois é: amo Mariazinha.

Como há coisas acontecendo dentro das pessoas, tantas coisas diferentes. Basta abrir os olhos para ver casas e gente e cavalos e automóveis. Mil ou um milhão de substantivos, vivos ou mortos. Nos pensamentos também existem os mesmos substantivos. Dentro de nós. Fecho os olhos e vejo do mesmo jeito: casas, gente, cavalos. É assim. E cada substantivo tem uma porção de adjetivos: casa grande, cavalo bonito, homem simpático. E do substantivo junto com o adjetivo vai depender se gostamos deles, se nos agradam.

E aí começa outra diferença. Gosto de Malhado de uma maneira, dos meus pais de outra, de Mundinho de outra ainda, e de outra maneira gosto de Mariazinha de Vilnius.

Bem, pode-se dizer simplesmente: "Gosto, gosto muito, amo". E acabou.

Mas sinto que não é bem isso. É diferente.

E acima de tudo, como se fosse no topo de tudo, tem Deus. É muito estranho.

(*Quando eu voltar a ser criança*)

Se eu não tivesse sido adulto antigamente, talvez não o soubesse. Mas agora bem sei que as crianças amam, só que não sabem que nome dar a isso. Ou talvez tenham vergonha de confessar. Não é que não queiram dizer, mas nos seus pensamentos sentem vergonha e no máximo chegam a dizer que gostam.

Têm até receio de dizer: "É uma menina simpática. Gosto dela. É agradável".

Porque os adultos sentem prazer em ridicularizar o amor. Por aí se vê como são indelicados.

Dirão, por exemplo: "Belo casal de namorados". Ou: "Um beijo, queremos um beijo". Ou: "O noivo e a noiva". Ou pior ainda: "Marido e mulher". Como se não fosse permitido gostar de alguém. Conversar, olhar, brincar junto com a outra pessoa e depois se despedir apertando-lhe a mão. Sem que ninguém faça perguntas. Sem que ninguém sequer repare.

É uma pena, mas não é permitido.

Basta eu perguntar, como se fosse sem querer: "Mariazinha é um nome bonito?" Ou basta eu dizer que ela tem uma linda fita azul no cabelo. Ou indagar por que quando ela ri aparecem covinhas no seu rosto. Basta qualquer pergunta ou observação desse tipo, e logo começam as intrigas: "Está gostando? E que tal você casar com ela?"

Piadas bobas e risadas sem graça. Conheço muito bem.

Existem garotos que têm mania de fazer palhaçadas. Querem puxar o saco dos adultos, agradá-los, então pegam a menina pelo braço e a apresentam: "Minha esposa. Minha noiva".

Os adultos nos exigem inteligência, não gostam das nossas palhaçadas, mas são eles que nos obrigam a fazê-las.

Não sabem quanto sofre uma criatura sensível por ter de se fazer de palhaça. Há crianças que nunca se recuperam; há outras que guardam para sempre rancor e má vontade para com os adultos. Por serem tão fofoqueiros e por nos magoarem de propósito.

Fico sentado, pensando. Eu e milhares de crianças em milhares de quartos, pensando, ao anoitecer, nos milagres e nas tristezas da vida.

―――(Janusz Korczak)―――

Naquilo que acontece dentro e em volta de nós. Os adultos desconhecem esses nossos pensamentos. No máximo: "O que é que você está aprontando aí? Por que não está brincando? Por que está tão calado?"

Acontece que a criança, depois de um pouco de bagunça, correria e descoberta de coisas novas, sente desejo de conversar em silêncio consigo mesma. Mas só uma, uma em cada mil, encontrará apoio num adulto. Ou num amigo.

Por exemplo, que coisa estranha é o sono. Irene está dormindo e não sabe de nada. Mas deve estar sonhando, porque suspira. É provável que ela também conheça criancinhas de quem gosta, lá no jardim de infância, e talvez não queira dizê-lo.

Comparo Irene comigo, relembro o meu passado, o tempo em que era adulto e vejo que somos todos semelhantes, iguais. O homem adulto é infantil, a criança é amadurecida. Só que não aprendemos ainda a entender-nos uns com os outros.

E pronto.

Encontrei Mariazinha pela segunda vez.

Mariazinha voltou a nos visitar. Nem chegou a tirar o casaco. Ela e a mãe dizem que estão com pressa, que só vieram para se despedir. Mal tive tempo de cumprimentá-la e já está na hora da despedida.

Estou parado perto do vaso de flores onde semeei um grão de ervilha que deu broto. Já tem até quatro folhas. Duas de um lado e duas do outro. É tão gostoso plantar algo e depois ver como brota! É preciso regar. Da água e da semente resulta uma coisinha verde, minúscula. Onde não existia nada, agora existe.

Continuo parado. Tenho um cartão-postal que comprei. No cartão tem um anjo, com asas e tudo, e duas crianças à beira de um precipício. Um precipício sem fundo. Elas se abaixam sobre o abismo e colhem flores. Mas o anjo as vigia e impede que caiam na profundeza insondável.

Pois então, a tia desconhecida veio junto com Mariazinha. Nunca a vi na vida. É uma tia longínqua. E penso comigo mesmo: "Se a Mariazinha me dirige a palavra, dou-lhe o postal de lembrança. Se não, fico com ele".

(Quando eu voltar a ser criança)

Comprei o postal para Mariazinha, porque sabia que ela viria, só tinha medo de que ela viesse quando eu estivesse na escola.

Agora, todos os dias volto voando da escola. Mundinho pergunta:
— Por que tanta pressa?
Mamãe fica admirada:
— As aulas estão terminando mais cedo?
E eu nada. Vou responder o quê?
Mariazinha tem um gorrinho de feltro branco, combinando com a gola. E o cabelo encaracolado.

A mãe dela está conversando com a minha; falam de uns conhecidos que moram em Vilnius.

Ela não diz nada.

Beijo rapidamente a mão da tia de Vilnius e volto para perto da minha ervilha.

Mariazinha continua imóvel, encostada na mãe.

Tiro o postal de dentro do livro onde o havia guardado. Aquele postal do anjo.

E ela, Mariazinha, que ainda agora estava parada, bruscamente se aproxima de mim. Quase como se estivesse correndo. Recoloco o postal no livro e imagino que devo estar vermelho, porque estou mais sem jeito do que nunca.

Ela para e tapa o rosto com a bolsinha, também de feltro branco. Sorrio para ela. Ela também. E viro o rosto, como se quisesse olhar para a ervilha.

Irene vem correndo e mostra sua boneca a Mariazinha. Diz:
— Olha, ela tem sapatinhos.
Viro-me outra vez para ela. Mariazinha pega a boneca e pergunta:
— Ela fecha os olhos?
Respondo:
— Não. Bonecas pequenas não fecham os olhos.
Aí Mariazinha aproxima-se mais ainda e diz que bonecas pequenas também podem fechar os olhos. Só não podem se forem muito pequeninas mesmo. E depois acrescenta:

— Já estou indo embora.

Levo um susto pensando que ela está indo embora tão rápido e puxo o cartão-postal do anjo de dentro do livro, com receio de não ter tempo de entregá-lo.

Mostro-lhe o postal e pergunto:

— Acha bonito?

Ela diz baixinho:

— É bonito, sim.

Digo mais baixinho ainda:

— Quer para você?

Não queria que Irene visse. Porque crianças pequenas gostam de se intrometer. E ela bem que poderia falar em voz alta.

Mas mamãe e a mãe de Mariazinha continuam conversando e não veem nada.

Mariazinha diz:

— Escreva que é uma lembrança.

Pede com muita insistência na voz e fica olhando para ver se eu concordo. Tudo se arranja bem. Escrevo rapidamente: "Lembrança de Varsóvia".

E seco com o mata-borrão. Mas Mariazinha alerta:

— Cuidado para não borrar.

Respondo:

— Olhe, não borrou nada.

Falei "olhe". Quer dizer que a chamei de "você". Mas o "L" de "lembrança" ficou um pouco borrado.

— Não faz mal — diz ela.

E acrescenta:

— Você tem uma letra bonita.

E ainda:

— Escreva de quem é e para quem.

— Para que isso?

Mariazinha fica pensativa, inclina a cabeça para um lado e diz: É verdade...

Assim mesmo, escrevo: "Para Mariazinha de Vilnius."
E embrulho em papel alumínio, desses de chocolate. Porque havia preparado tudo antecipadamente.
Mas percebo que ficou brilhando demais, então arranco uma folha do caderno e embrulho outra vez.
Ela diz:
— Imagine, não precisava arrancar a folha.
— Não tem importância.
E eis que mamãe intervém:
— Por favor, tirem os casacos.
Mas a mãe dela responde:
— Não, já estamos de saída.
Mariazinha pega o embrulhinho com o postal, coloca-o dentro da bolsinha e pergunta:
— Que letra você mais gosta de escrever?
Informo:
— O R maiúsculo.
— E eu o W maiúsculo. Me dê um pedaço de papel, vou escrever para você. A lápis. Veremos quem escreve mais bonito.
Ela escreveu, e eu também. Mas sem me esforçar muito. Talvez para deixar que a letra dela saísse mais bonita do que a minha?
Mariazinha pergunta:
— Bem, qual é a mais bonita?
Ela ri — vejo que tem dentes bem-feitos e branquinhos — e diz:
— No postal você escreveu mais bonito.
Fico vermelho e comento:
— É, às vezes dá certo, outras vezes não.
Continuamos escrevendo: "Varsóvia", "Vilnius", diversas palavras e depois algarismos.
— Detesto escrever o oito, diz ela. Sempre sai meio torto.
— É mesmo. O oito é difícil de acertar. E, depois, é incômodo escrever de sobretudo.
Ela olha para a mãe e pergunta:

— Posso tirar o casaco?
Não, elas já estão de saída.
Mariazinha quer rasgar o papel no qual está escrevendo, mas não deixo.
— Para que você quer guardar?
— Deixe ficar comigo.
— Mas para quê?
Falo baixinho:
— De lembrança.
— Que lembrança é essa? Espere, que logo lhe mando um bonito postal.
Mas me deixa ficar com o papel.
Mostro-lhe o vaso com a ervilha. Pergunto se quer levar. Mas como ela ia viajar com aquilo na mão?
Mariazinha alisa cada uma das quatro folhas com o dedo. Mas a mãe dela está chamando:
— Agora vamos andando.
E se levanta. Mariazinha fica parada ao lado dela.
Não conversamos mais. Eu continuo ao lado do vaso. E elas ficam falando muito tempo em pé. Talvez não fosse muito tempo, só que eu estava torcendo para que fossem logo embora.
Tenho medo de despedidas. Agora é pra valer:
— Bem, crianças, está na hora de se despedir.
Viro-me de costas.
— Como é, não vão dar até logo um ao outro? Será que já brigaram? E o beijo de despedida?
Mariazinha declara:
— Eu não beijo os rapazes.
— Que gracinha — diz minha mãe. Não quer cantar uma canção de despedida?
— Posso cantar.
— Você canta da próxima vez. Agora já estamos atrasadas.
Mariazinha beija mamãe e Irene, mas a mim só dá a mão.

(Quando eu voltar a ser criança)

E com tanto orgulho! Nem sequer sorri. E nem tira a luva. Elas saem. E mamãe reclama:

— Você é um urso. Mariazinha, sim, é uma menina bem-humorada. E você nem sabe conversar direito.

Sou grato a Irene. Abraço-a e dou-lhe um beijo na testa. Digo:

— Você se comportou muito bem, Irene.

E começo a fazer os meus deveres.

Sinto-me bem, sereno. Tudo deu tão certo com o postal. A imagem é bem bonita. Primeiro quis comprar um com flores, depois outro, com uma paisagem mostrando uma floresta, uma casa junto às árvores e um cavalo parado. Tinha ainda dois outros cartões bonitos, mas um deles levava a inscrição "Parabéns para você". E o do anjo era o mais bonito de todos. Tinha montanha, abismo, flores e mais o anjo da guarda.

O nome não me agrada: anjo da guarda. Deveria ser diferente: anjo defensor, por exemplo. Sei lá.

Quando tiver dinheiro, compro um igual para mim. Porque Mariazinha não vai me mandar cartão nenhum, lá da terra dela, de Vilnius. Não vai lembrar de mandar.

Estou copiando um poema para amanhã. A meu lado, a boneca de Irene. Tudo começou com essa boneca. E com as quatro folhas da ervilha. À medida que a planta continuar crescendo, aparecerão novas folhas, e as quatro primeiras ficarão embaixo das outras. É provável que sejam as primeiras a cair. Devo esperar que fiquem amarelas e caiam sozinhas, ou devo arrancá-las enquanto estão verdes e secá-las para guardar de lembrança? Por enquanto não sei.

Continuo copiando o poema. Caprichando na caligrafia. Em certo trecho, aparece um W maiúsculo. Procuro escrevê-lo melhor que as outras letras. Já não sei se a letra mais bonita e mais gostosa de escrever é o R maiúsculo ou o W maiúsculo.

Fico contemplando o papel no qual Mariazinha e eu estávamos escrevendo letras.

O que é que vou fazer: amo-a, mas nunca mais a verei. Só restaram um papel com letras e quatro folhas de ervilha. Mas quem sabe

(Janusz Korczak)

ela escreve mesmo para mim? Ou uma noite eu sonho com ela? Ou um dia encontro na rua uma menina parecida com ela? Não foi assim que encontrei o Malhado?

As meninas não são simpáticas. São orgulhosas, brigonas e careteiras. E fingidas. Fingem-se de adultas e esnobam os meninos, como se todos fossem bagunceiros. E ficam afastadas de nós, mas quando querem se aproximar, é como se estivessem fazendo um favor.

E quando aparece uma que gosta de brincar conosco, é pior ainda do que os meninos: porque é levada como nós, mas ao mesmo tempo tem também uns defeitos característicos de menina.

Paciência.

É verdade que existem algumas mais delicadinhas. Usam vestidos bonitos, lacinhos, colares, uma porção de penduricalhos. Fica bonito. Se fosse um menino, ficaria ridículo. Há meninos que usam cabelo comprido. Parecem bonecas. Será que não sentem vergonha?

As coisas são como são.

Mas por que devemos ceder diante delas? Não se pode bater numa menina, nem empurrá-la. Logo vem a recriminação:

— Ela é menina!

Isso cria mágoa e má vontade dentro de nós. Até mesmo inimizade. E não é para menos.

Na escola, se há meninos e meninas estudando juntos e um menino reclama de uma menina, a professora diz logo:

— Você, um rapagão, não consegue dar um jeito numa menina? Se é assim, da próxima vez darei um jeito.

Aí virá aquela recriminação. Realmente, não se sabe como agir.

Se os adultos não estivessem sempre nos lembrando de que esse é um garoto e essa é uma menina, é provável que a gente nem se lembrasse. Mas que esperança: eles não nos deixam esquecer. Dizem da boca para fora que não há diferença, mas na prática fazem exatamente o contrário.

Sinto muito estar pensando assim, mas o que fazer? Não posso mentir. É evidente que Mariazinha não tem culpa. E quem sabe essa situação só existe em Varsóvia?

Pois não é que ela escreveu para mim? Escreveu mesmo. Cumpriu a promessa. Mandou-me um postal com uma igreja histórica de Vilnius. Tinha endereço, selo e tudo. Não teve vergonha de escrever para um garoto.

Menina valente.

Canta sem ficar inibida, e tomou a iniciativa de me tirar para dançar.

Escreveu para mim de verdade. Guardei o postal dela junto com as folhas de ervilha e o papel. Uma das folhas quebrou.

Aconteceu uma excursão. Não de trem, mas atravessando a ponte para ir ao parque. Foi bem agradável.

Quisemos ir em formação de quatro pelo meio da rua, em vez de marchar em fila dupla, que costuma provocar empurrões. Mas a professora não deixou. E com razão. Porque a formação ficaria logo desfeita e haveria uma bagunça. Um começaria a dar pontapés por trás, outros ficariam se arrastando, uns para a direita, outros para a esquerda. Nem sabem andar direito aos pares, guardando a distância e firmando o passo.

Foi bem bom. Duas carroças e um automóvel pararam enquanto estávamos atravessando a rua. É agradável sentir que apesar de tudo temos alguma importância, porque os outros precisam parar para nós atravessarmos.

Mundinho é o meu par. É muito importante escolher bem o parceiro e saber também quem está na minha frente e atrás de mim.

O melhor de tudo foi a travessia da ponte, porque o rio estava congelado.

— Existem uns sujeitos que tomam banho na água gelada.
— E você não teria medo?
— Medo de quê?
— Do frio, ora.
— O que é que tem o frio?

É gostoso a gente se testar e mostrar que não tem medo.

— A água pode se transformar em gelo ou em vapor. Não é estranho?

— Mais estranho é a mosca que anda pela parede, e o peixe que respira dentro d'água.
— E o sapo? Como nasce o sapo? Na água ou na terra?
Ficamos todos pensativos. Quem foi capaz de fabricar tudo isso? E, se Deus não existe, então quem?
Mundinho e eu conversamos, inventando uma viagem de barco até Gdansk. Temos muitas provisões: pão, queijo, maçãs. Estamos navegando pelos afluentes do Vístula, avistando planícies e morros, passando perto de cidades históricas.
É uma conversa de brincadeira, mas é também como se fosse uma aula, uma prova.
A escola é útil. Nos capacita a pensar longamente sobre diversas coisas. Na aula de geografia recebo determinada informação, na de ciências naturais, outra, mais outra na de história — e é surpreendente como depois isso é aproveitado no nosso pensamento.
— Vamos para Gdansk ou para Cracóvia?
— Bem, contra a corrente é difícil.
— Com um barco a motor não tem problema.
Cada escola bem que poderia ter uma embarcação. Ficaria ancorada no porto, e os alunos montariam guarda. Haveria quatro garotos se revezando, dia e noite. E, assim que o rio descongelasse, içaríamos as velas e... a caminho!
Uma turma ficaria navegando uma semana, depois outra turma. E mudando também de posição: na cabine, no manejo das velas, no leme.
Só que não sabemos se o melhor seria um veleiro, um vapor, uma lancha a motor ou até mesmo uma jangada.
O sol brilha bonito, refletido na neve. O parque está todo branquinho.
Começamos a apostar corrida. Alguns querem tirar o casaco. A professora não deixa. Ora, quando a gente corre sente calor. No pátio ficamos brincando sempre sem casaco.
Não insistimos muito, porque não queremos que a professora fique chateada. Não há coisa pior do que irritação num momento que deveria ser agradável.

(Quando eu voltar a ser criança)

A professora vai reclamar com um e todos ficarão chateados. Brincadeira de adulto raramente acaba em confusão. Nas nossas é o que mais acontece. Sempre aparece um para começar.

Hoje é Milton. A professora mandou que formasse par com Rodolfo. Ele não queria, porque não se dão bem. E durante todo o trajeto o outro o ficou empurrando. A professora ficou furiosa, disse que parecemos um bando de vagabundos, que nunca mais vai passear conosco, porque as pessoas na rua ficam olhando e ela sente vergonha. Milton, só para contrariar, se mete na frente dos carros, e a professora tem medo de ele ser atropelado. Mas se todos os dias ele vai à escola e volta sozinho, sem ninguém para tomar conta... Então, que o deixassem andar sozinho hoje também. Mas sei que não é possível, porque se deixarem um, os outros logo vão se espalhar pela rua toda.

Também no parque foi difícil reunir todo mundo para voltar para casa: a professora precisou sair catando alguns. Já que havíamos feito um caminho tão longo, queríamos ficar mais tempo. Tudo estava tão bonito que não dava vontade de ir embora. Como sempre, tem alguns, os obedientes, que respondem logo à chamada. Mas cada um deles, quando vê que o parceiro não está presente, acaba achando chato ficar parado, sozinho. Aí sai em busca do amigo. E, enquanto sente que seus pés estão ficando congelados, vê que os outros continuam brincando. Então se impacienta:

— Vamos embora logo.

Eles se arrependem de ter sido tão zelosos e comparecido logo à chamada. Os colegas continuam correndo por aí, enquanto eles são obrigados a presenciar as demonstrações de irritação da professora.

Depois de alguma espera, por sua vez, escapam. Então os outros, aqueles que estão brincando, veem que há pouca gente reunida na fila e não se apressam. Cada um quer chegar por último, para não ter de esperar. Se eu estivesse no lugar da professora, não ficaria esbravejando.

Bastaria começar a andar, mesmo que fosse com apenas três pares de alunos, para os outros seguirem correndo, e assim todos acabariam se reunindo aos poucos. No máximo um ou outro diria: "Deixem o pessoal ir embora. Sou capaz de achar o caminho de casa sozinho".

É bem provável que em pouco tempo tivesse medo de ficar para trás, por causa da ameaça de castigo, e se juntasse correndo ao grupo. E, mesmo que não o fizesse, seria apenas um caso isolado. Não é justo ficar brigando com todos por causa disso.

Seríamos capazes de dar uma porção de bons conselhos, se apenas os adultos nos perguntassem. É evidente que nós sabemos melhor o que nos aflige, que temos mais tempo para estudar os nossos problemas e refletir sobre eles, que conhecemos melhor a nós mesmos, que estamos mais frequentemente reunidos com nossos semelhantes. Uma criança pode não saber grande coisa, mas no seu grupo aparecerá sempre alguém que sabe mais do que ela.

Somos os especialistas em matéria de nossa vida e de nossos problemas. Só ficamos calados porque não sabemos o que é permitido dizer e o que não é. Temos medo não só dos adultos, mas também e sobretudo dos colegas, daqueles que não querem o entendimento nem a ordem, que preferem pescar nas águas turvas da disputa e insatisfação os peixes dos seus interesses pessoais. Se eu fosse adulto, diria: "Anarquia e demagogia".

Onde, me digam, está a solidariedade? Cada um tem alguém de quem gosta muito, tem algumas pessoas com as quais simpatiza, outras com as quais não simpatiza ou lhe são indiferentes, e um ou outro inimigo.

Por vezes há até o caso excepcional de alguém de quem todos gostam, ou que gosta de todo mundo. Mas de modo geral o que todos mais sentem é medo. O sujeito forte pode mandar em todos e fazer o que bem entende. Também o sujeito de quem o professor ou a professora gostam especialmente.

No caminho de volta do passeio, contei a Mundinho sobre Mariazinha de Vilnius.

— Sabe, Mundinho, recebi um postal de Vilnius. Com flores. Miosótis.

(Quando eu voltar a ser criança)

É um postal lindo.
E depois:
— Quem me mandou foi uma menina.
Disse o nome dela e em que ano está na escola.
— Mas não esqueça que é um segredo.
Contei que dancei com ela na festa de aniversário e que ela canta lindamente.
E também que tem cabelo escuro.
— Está vendo, Mundinho? Você ficou aborrecido naquele dia porque falei primeiro com Roberto sobre o Malhado. Fui obrigado, porque ele não queria me emprestar o dinheiro. E naquele tempo eu ainda não te conhecia bem.
Demo-nos as mãos e continuamos andando. Foi aí que ele contou que também está interessado numa menina.
— É porque ela está sempre triste.
— Já minha Mariazinha deve estar sempre alegre.
Ao atravessar a ponte, não falamos nada. Depois continuamos:
— Você não está mais zangado por causa do que falei do seu pai naquele dia?
Pensei que ele não tivesse ouvido, porque justamente um caminhão estava passando por nós. Era um caminhão do exército, bem pesado. Tinha umas correntes que faziam barulho. Três soldados estavam sentados em cima, e o motorista estava à paisana. Não sei por quê. Um dos soldados segurava um cachorro. O cachorro apoiou as patas na grade e a cabeça dele ficou balançando. Tinha uma cara muito assustada.
Mas Mundinho ouviu o que falei.
— Não estou zangado — disse ele —, mas não fale assim de novo. Porque chateia. Fica parecendo que o pai da gente é não sei o quê. Cada um sabe o pai que tem. Mas é desagradável ouvir os outros falarem nisso.
— Eu não quis magoar você. A coisa me escapou sem querer.
— Eu sei — diz Mundinho.

(Janusz Korczak)

Bem, agora somos amigos, Mundinho e eu. Vou trazer o postal para a escola e mostrar a ele.

Desculpamo-nos pelo incidente do outro dia, e contei-lhe um segredo, para ele não pensar que só quero saber tudo a seu respeito. E sou capaz de convidá-lo a ir me visitar lá em casa.

É engraçada a maneira que os adultos têm de nos mandar pedir desculpas. Você faz qualquer coisa à toa e lá vem logo: "Vá pedir desculpas!"

Não tenham receio. Sei quando não tenho razão, e vou me desculpar, só que mais tarde. Caso contrário, tudo sairá mentiroso e falso.

Mariazinha escreveu uma coisa bem engraçada:

Querido primo,
Estou em Vilnius e não estou indo à escola. Viajei a noite toda, peguei um resfriado e tive febre. Mando-lhe um milhão de beijos.
Daquela que te ama,
Maria

Tenho vergonha de mostrar esse postal a Mundinho.

A professora nos mandou descrever a excursão ao parque. O relato devia ter quatro partes: o caminho até o parque, a estada lá, o regresso e a conclusão.

A professora me elogiou, disse que o meu trabalho estava bom. O que escrevi foi:

Naquele dia o tempo estava bonito e a professora levou a nossa turma para um passeio. Atravessamos várias ruas. Dos dois lados da rua se erguem altos edifícios, e no meio corre o tráfego. Os bondes andam nos trilhos, e fora dos trilhos trafegam os táxis, os carros puxados por cavalos, os automóveis e outros similares. Os pedestres passam devagar e nas esquinas há guardas.

No parque jogamos diversos jogos. O parque estava coberto de neve. As árvores estão nuas, porque as folhas caíram. Suas copas alcançam grandes alturas. *O parque não tem monumentos históricos, mas no verão cresce grama. Os arbustos ficam cobertos de folhas verdejantes. No caminho de volta, atravessamos de novo a ponte de ferro. Ficamos olhando para o rio gelado. E o tempo todo andamos em pares.*

A excursão para o parque foi muito agradável, porque o sol brilhou o tempo todo e pudemos jogar diversos jogos.

É desagradável fazer redações, porque nunca relatamos a verdade; só escrevemos porque a escola mandou.

Mariazinha pegou um resfriado e ficou doente. Poderia até estar gravemente enferma e eu não saberia de nada. Poderia até mesmo ter morrido, porque crianças morrem também. Por um lado estou contente, porque recebi o postal, mas no fundo estou preocupado.

Por que ela veio até aqui?

Antes eu só sabia vagamente que tinha uma tia em Vilnius. Posso ter ouvido alguém mencionar que ela tinha filhos, ou até que tinha uma filha de nome Mariazinha. Mas aí vi Mariazinha de repente.

E para quê? O que é que eu tenho a ver com ela, pensando bem? É apenas uma prima qualquer, uma prima distante.

Não fosse o tio, eu nem teria conversado com ela; e, se eu estivesse na escola quando ela veio se despedir, não a teria visto nunca mais.

Não é melhor rasgar o postal e acabar com tudo?

Para que me atormentar? Para que pensar? Para que me preocupar com a saúde dela, ter medo de que algo de ruim possa ter acontecido?

De qualquer modo, não vou responder, pois não tenho dinheiro para o selo.

Mas eis que ganhei dinheiro, justamente.

— Pegue isto, malandro — disse papai.

E me deu uma nota de um *zloty*.

— Compre alguma coisa de que esteja precisando, ou vá ao cinema.

Mamãe protesta:

----(Janusz Korczak)----

— Não fique dando dinheiro para o garoto, vai acostumá-lo mal. Apanho a nota abobalhado, sem jeito. Aconteceu tão de surpresa. Papai estava contando dinheiro: deu um total de trinta e um ou quarenta e um; enfim, estava sobrando essa nota para fazer uma conta redonda. Coincidiu de eu estar por perto. Por isso ele me deu. Uma surpresa.

Depois que peguei o dinheiro, fiquei com pena do meu pai. Pois sei que ele não tem muito dinheiro, e que os filhos custam muito. Em vez de comprar algo para ele, tem de comprar para nós: casaco, sapato, comida, colégio, tudo. E ainda por cima tem aborrecimentos e desgostos quando me comporto mal.

Quando eu desejava voltar a ser criança, esquecia por completo que não ia ganhar o meu sustento, ia ser um encargo para os outros.

Não, as crianças não são parasitas. A escola é o nosso trabalho. É verdade que temos longas férias, mas o professor também descansa. Nós damos mais duro que o professor. Porque para nós tudo é novo e difícil.

E dizem que as crianças não fazem nada, que comem de graça.

Quando quis ser criança, não lembrava como é duro não ter dinheiro próprio, a escravidão que isso representa.

Por exemplo, tenho uma régua que não presta mais. Alguém a estragou. Deixei-a na sala e, quando voltei do recreio, havia sumido. Fiquei procurando até achá-la numa carteira bem longe da minha. Mas toda rachada, cheia de dentes. Não se pode fazer uma boa linha reta com uma régua dessas: o lápis fica preso. Existem réguas com proteção de metal, mas são muito caras. As nossas, como de propósito, são feitas de uma madeira muito pouco resistente. Você se distrai, bate com a régua na carteira e logo aparece uma rachadura.

Quantas perdas, quantos prejuízos sofremos, e ficamos calados. Pois se nos queixarmos, a professora dirá: "Tome cuidado com o seu material".

Acontece que não é permitido ficar na sala durante o intervalo; e, por outro lado, como seria possível vigiar o material o tempo todo, ininterruptamente?

─────(*Quando eu voltar a ser criança*)─────

Muito bem, sou proprietário de um *zloty*. Parece que foi vontade divina.

Comprarei um cartão-postal para Mariazinha. Devolverei dez centavos a Roberto, darei por encerrado o caso de Malhado. Comprarei uma régua, para ter uma de reserva. Quem sabe um par de cordões de sapato? Assim, se os cordões velhos rasgarem, não terei de engolir recriminações de mamãe. Talvez Mundinho esteja precisando de alguma coisa, posso lhe oferecer um empréstimo.

Seria bom, também, ir ao cinema. Mas como? Ir sozinho e não dizer nada a Mundinho? E, se eu contar, ele ficará com inveja.

Pode parecer que um *zloty* é muito dinheiro. Mas se começarmos a fazer as contas, veremos que não dá para muita coisa.

Os adultos pensam que as crianças são levianas. Bem, existe leviandade no nosso meio e entre os adultos. Por que o pai de Mundinho gasta dinheiro com bebida? Existe todo tipo de gente. Aqueles, por exemplo, que roubam dinheiro do pai e gastam com bobagens. Dizem que precisam de um caderno novo e compram uma barra de chocolate. Há também os que pedem emprestado e não devolvem. Os que perdem as moedas porque têm bolsos furados, ou jogam fora sem perceber ao puxar o lenço. Mas há também os que só gastam o necessário. Ficam juntando centavo por centavo para poder comprar um presente para o pai, ou algum objeto mais caro.

Fui, junto com Mundinho, procurar um bonito postal. Aquele do anjo ela já tem, os miosótis foi ela quem me mandou. Havia um postal com um menino e uma menina, mas tenho vergonha, porque pareceria que somos nós dois, eu e ela.

Se eu pudesse entrar na loja, a escolha seria mais fácil. Mas é desagradável. Porque ficam nos vigiando, vendo se não estamos pegando alguma coisa, ou amarrotando, ou sujando. Nos apressam, não gostam que fiquemos escolhendo com calma. Dizem: "Vamos, rápido".

Percebe-se que querem nos ver logo pelas costas.

Porque as crianças só costumam ter poucos centavos, então o lucro que se pode conseguir com elas é pequeno.

———————(Janusz Korczak)———————

Também o adulto nem sempre compra muita coisa de uma só vez. Mas ele pode ver tranquilamente todos os álbuns. Porque se hoje compra apenas um postal, poderá voltar amanhã para mais.

Devolvi logo o que devia a Roberto. Enquanto não tinha dinheiro, não ousava sequer perguntar pelo cachorrinho.

— Aqui estão os dez centavos que você emprestou para o leite.

— Eu não disse que eram de presente?

— Não quero. E Malhado, o que anda fazendo?

— O que você quer que ele faça?

Isso não é resposta. Talvez os pais não o tenham deixado ficar com o cachorro? Quem sabe Roberto o expulsou?

— Ele continua na sua casa?

— E onde estaria, já que você o abandonou?

— Não abandonei, dei para você.

— E se eu não quisesse ficar com ele?

— Teria procurado outra pessoa.

— E você acha que é fácil conseguir permissão para levar um cachorro para casa?

Estou irritado, porque ele está botando banca. Digo:

— Quem é que não permitiria?

— Os teus pais não permitiram.

— Eu nem pedi.

Fico chateado: para ele tudo é tão fácil, enquanto eu continuo levando uma vida solitária. E o cachorro é amigo do homem.

Sei que a inveja é um sentimento ruim. Mas como não ter inveja vendo alguém para quem tudo dá certo e não sabe apreciar a sorte que tem?

Tenho curiosidade de saber se Malhado me reconheceria. Escondo, portanto, a minha mágoa e digo:

— Posso ver ele um dia?

— Bem... quando você for lá em casa eu te mostro.

— E me deixa levá-lo para minha casa por um dia?

— Aí você já está querendo muita coisa. Se é meu, é meu. E, depois, você acha que ele vai querer ir com você?

———————(172)———————

(Quando eu voltar a ser criança)

— Por que não? É capaz de querer.
— É que agora ele já está acostumado comigo.
— Então fique com ele.
— Claro que vou ficar.

Vou-me embora. Para que continuar a conversa? De qualquer maneira, ele não vai entender.

As pessoas conversam, mas cada uma sente de um modo diferente. Por isso não conseguem se entender.

Agora só me resta Mundinho.

Estamos juntos o tempo todo. Encontramo-nos de manhã e vamos juntos para a escola. Passamos juntos o intervalo. E voltamos juntos. Só me resta ele.

Talvez seja pecado pensar assim? Porque tenho também meu pai, minha mãe, Irene.

Esqueci de contar que durante aquela visita de despedida ficamos soprando em cima de uma rodelinha que estava na mesa. Uma pequena rodelinha de relógio ou sei lá de quê. Mariazinha disse:

— Vamos ver quem sopra mais forte?

Ela ficou soprando para um lado, e eu para outro. Deixamos também que Irene soprasse algumas vezes.

Dias cinzentos

Pela segunda vez sumiu o boné de um aluno. Foi um escândalo.
    Sobretudo na turma do segundo ano. Vivem sumindo livros e cadernos. Disseram que haveria uma investigação. Os professores comentam que é uma vergonha para a escola toda. Cada aluno enumerava os seus pertences que tinham sumido e as professoras iam anotando.
    De mim não roubaram nada. Eu tinha uma borracha, um restinho de borracha — talvez desse para uma semana — que sumiu. Mas não sei: posso ter perdido na escola, na rua, em casa. Mas quando alguns garotos começaram a ditar a lista dos objetos roubados, parecia que na escola inteira só havia ladrões. O sujeito perdeu qualquer coisa em algum lugar, ou esqueceu onde deixou, e pronto: ditava para a professora, que mal tinha tempo de ir anotando tudo. Alguns deviam estar mentindo. Pois, como dizia Pedro:
    — Por que você não mandou anotar que roubaram a sua borracha? É capaz de a escola comprar tudo para nós.
    É um roubo ainda pior querer receber algo que não se extraviou. Uma falta de vergonha.
    Existem aqueles que perdem muitas coisas. Mas tampouco têm cabeça. Largam seus pertences em qualquer lugar e não sabem onde foi. Emprestam e esquecem. É por causa deles que se diz que as crianças são desmioladas. O pior é que querem algo e já dizem: egoísta, avarento, mesquinho.
    Às vezes dá raiva. O sujeito mal viu uma coisa e já grita:
    — Me empresta!
    Ainda por cima ameaça:

— Pode ter certeza de que você vai se arrepender! Você não perde por esperar; um dia vai me pedir alguma coisa e já era.

Nós dependemos mais de empréstimos do que os adultos. Eles exigem que tenhamos um monte de coisas, mas se não as ganhamos em casa, o que fazer?

A culpa, muitas vezes, é dos pais, e quem sofre é a criança. O pior é que não acreditam em nós. Entre os adultos, qualquer pessoa honesta é merecedora de confiança, mas a mais honrada criança é sempre suspeita.

— Preciso de dinheiro para comprar cartolina.

— Cartolina outra vez? Você comprou outro dia.

Uma observação como essa machuca. Acham que eu comi a cartolina?

O adulto tem o próprio dinheiro, pode comprar aquilo de que precisa. Já a criança vive de favor. Tem de esperar um momento de bom humor dos pais, caso contrário se arrisca a ouvir o que não quer. Toda criança deveria receber uma mesada — para saber o que tem, para aprender a forma certa de gastar e não ficar sem nada. Mas, geralmente, ou não temos um tostão ou de repente ganhamos muito de uma só vez. Isso leva à mendicância e à falsidade. Muitos se fazem de simpáticos só para ganhar algo.

É verdade: nós perdemos e esquecemos nossas coisas. Mas eles têm grandes bolsos, têm gavetas das quais ninguém se aproxima. Andam devagar, se mexem pouco. E mesmo assim por vezes eles perdem ou esquecem algo.

Quando você se esforça, sabe, lembra de tudo, ninguém diz nada, ninguém percebe o nosso empenho, ninguém entende o esforço. Mas basta alguma coisa não dar certo que vem o escândalo.

Nos teatros, há vestiários onde a nossa roupa é entregue em troca de fichas numeradas. Assim, é claro que nada se perde. Na escola, cada um pendura o seu casaco sozinho e depois o apanha sozinho. E sempre na maior pressa. Para cada trezentos alunos que penduram sua roupa com cuidado haverá alguns que a jogam de qualquer

(Quando eu voltar a ser criança)

maneira. Só que não se fala nos trezentos cuidadosos: se acusam as crianças em bloco. E acaba parecendo que onde tem crianças tudo vai sempre mal. Se fôssemos adultos, as coisas seriam diferentes.

Para um elogio, mil reprimendas; para um agradecimento, cem reclamações e ameaças. Não sabemos vigiar as nossas coisas, não sabemos cuidar delas.

E quando você vê como eles distribuem as humilhações, os menosprezos, as suspeitas, os insultos e castigos, ou deixa de ter vontade de se esforçar, porque sabe que de qualquer modo não vai satisfazê-los, ou fica fazendo pirraça:

— Que gritem à vontade, que mal tem isso?

Você apenas procura evitá-los, guardar distância, ter o mínimo de contato. Só quando indispensável.

Claro, quando estamos com alguma dor forte, precisamos deles. Se for coisa à toa — um cisco no olho —, é melhor pedir ajuda a um colega. Porque eles, os adultos, ficam logo exultantes: "Por que foi fazer isso, por que foi fazer aquilo?" Como se eu soubesse.

Também é chato quando temos de dar queixa de alguém. Os que gostam de denunciar são raros, em geral só o fazemos em último caso. E sempre com receio de que nossa denúncia seja rechaçada com uma palavra rude.

Pensem só: os delinquentes do mundo adulto mofam na cadeia, mas os nossos circulam livremente entre nós.

Pois é: vivemos perto uns dos outros, mas não convivemos.

E, quando uma criança se aproxima de um adulto porque gosta dele, todos suspeitam que se trata de um puxa-saco, que age por interesse. E não sabemos o que nos é permitido, o que nos é devido, não conhecemos nossos direitos e deveres. De um lado e do outro, o arbítrio.

Quis ser criança de novo, livrar-me das cinzentas preocupações e tristezas de adulto; agora tenho outras, infantis, que doem mais.

Não se iludam com o nosso riso.

Olhem para dentro de nós, dos nossos pensamentos, quando tranquilamente vamos à escola ou voltamos para casa, quando assistimos

——————(Janusz Korczak)——————

às aulas em silêncio, quando conversamos à meia-voz ou murmurando, ou quando à noite ficamos deitados na cama.

Temos outras preocupações, mas estas não são menores: são mais profundamente sentidas, e temos uma grande, uma enorme saudade.

Vocês já são temperados pelo sofrimento, pela resignação, mas nós ainda nos rebelamos.

Quando eu era adulto, vivia com medo dos ladrões. Agora, me dói o fato de eles estarem roubando. "Por que é que uma pessoa tira pertences da outra? Como é que pode?"

É triste que as coisas não possam correr bem.

— Bem, paciência — dizia eu quando era adulto.

Mas agora não quero. Não quero que tudo continue como está.

E não confio que a escola dê um jeito. Aparentemente, os adultos vivem nos corrigindo, mas sem resultado. Eles só ficam cada vez mais exasperados.

O boné não foi encontrado. Todos precisam fazer uma vaquinha para pagar. Portanto, é preciso contar lá em casa. E em casa ficam falando mal da escola: "Escola de ladrões". Ou: "O que fazem os professores, por que não tomam conta?"

Também não é justo, pois que culpa tem a escola? É evidente que as professoras não podem ficar tomando conta de tudo.

O mais triste é que basta um aluno para causar a todos tantos desgostos e angústias.

Mundinho está me esperando, e não consigo encontrar o meu casaco. Continuamos procurando. Mas logo vem o bedel:

— O que vocês estão xeretando por aqui?

Digo:

— Não estamos xeretando nada, só que não estou achando o meu casaco, devem tê-lo mudado de lugar.

— O que você não deixou aqui não está aqui — sentencia o contínuo.

— E como é que eu teria vindo sem casaco?

— Sabe-se lá.

E conclui:

— Achou? Então, está vendo? O casaco está lá onde você o deixou pendurado.
Eu digo:
— O senhor não viu, então não sabe de nada.
E ele:
— Não se faça de sabido, senão ganha um cascudo.
Quanto tempo vai se passar ainda até que os grandes não só deixem de bater nas crianças, mas também de ameaçá-las com surras? Hoje em dia parece que alguns nos fazem um grande favor não nos dando cascudos.
No caminho, Mundinho volta a falar do seu pai.
— Você deve estar achando que meu pai é um beberrão desses que fazem escândalo. No nosso prédio temos um vizinho assim. Apronta cada uma! Até a polícia veio um dia. Quando chega em casa, bate na mulher e nos filhos. Ouve-se o barulho das bofetadas, e depois gritos. Aí ele pega o primeiro objeto que vê pela frente e joga no chão, tanto faz que seja ou não de vidro. E começa a lenga-lenga: "Tudo aqui é meu, ganho com o meu sangue e o suor do meu rosto; se quiser, quebro, destruo e queimo tudo". E as crianças berrando: "Papai! Papai!" Se meu pai fizesse isso, não sei como eu reagiria. Mas papai só tem pouca resistência à bebida: toma alguns goles e pronto.
— Mas então por que bebe?
— Sei lá. Deve ter acostumado. Mas eu não vou beber nunca, nem fumar. Para que se encher de veneno? O álcool chega a queimar a boca, o sangue e o estômago. Experimentei fumar um dia. Mas um colega me fez botar o lenço na frente da boca e soprar a fumaça do cigarro. Através do lenço apareceu uma mancha amarela, malcheirosa. Se eu fosse rei ou tivesse um poder qualquer, mandaria fechar todos os bares e botequins. Sem eles, o pessoal seria obrigado a deixar de beber.
Caminhamos um pouco em silêncio.
— No sangue existem umas bolinhas onde o ar penetra. É curioso como o homem é construído. Nenhuma máquina é como ele. Veja

―――――(Janusz Korczak)―――――

só: se você não dá corda no relógio, ele para. Mas o homem funciona dez e até cem anos sem corda nenhuma. Saiu outro dia no jornal que um sujeito chegou aos 140.

Começamos a falar de velhinhos conhecidos nossos. Depois, dos veteranos de guerra; alguns lembram de batalhas do século dezenove.

— Você gostaria de ser um veterano?

Mundinho responde rapidamente:

— Não. Mas gostaria de ter 15 ou 20 anos.

— Mas aí talvez seus pais já não estivessem vivos.

Ele refletiu um pouco e concluiu com tristeza:

— Bem, então deixemos como está.

Despedimo-nos com um aperto de mão e olhando um para o outro. As meninas vivem se beijando, mesmo quando não gostam uma da outra. Nós, garotos, somos mais autênticos. Mas talvez seja só uma questão de hábito?

Bem, vejamos o que mais aconteceu. Nada de importante. Aulas e mais aulas.

Na aula de educação física, o professor nos mostrou um novo jogo. Há duas equipes que ficam separadas por uma linha traçada no chão, chamada fronteira. Trata-se de arrastar os adversários para o outro lado, onde eles ficam presos. Quem arrastar mais gente para o seu lado ganha. No início, havia alguns garotos atrapalhando, se deixando arrastar de propósito, porque preferiam ficar com os amigos da outra equipe. Ou então se soltando depois de arrastados, e argumentando que isso era permitido. Mas a seguir tudo correu bem. Foi uma brincadeira bem alegre.

Pedimos que o jogo continuasse até o fim da aula, até que o sinal batesse, mas o professor não deixou. Por que será?

No meu entender, o melhor seria escolher alguns jogos de que todo mundo gosta e continuar com eles. Se há tantos anos as pessoas vêm jogando basquete ou futebol, por que acharíamos monótono? Mas não: em cada aula tem de ter uma atividade nova. Isso é chato, porque acabamos não aprendendo nada direito. Dá para saber de que se trata, mas qualquer jogo teria de ser jogado semanas a fio para que pudéssemos conhecê-lo a fundo, com todas as suas dificuldades e todos os seus jeitinhos honestos ou desonestos.

Os adultos pensam que as crianças gostam de novidades a toda hora. É a mesma coisa com os contos.

Sem dúvida, existem os que logo torcem o nariz:

— Isso eu já conheço, já sei.

Mas, pensando bem, sempre há alguém que torce o nariz qualquer que seja o assunto; acha que não interessa e prefere outra coisa.

Mas podemos muito bem ouvir várias vezes um bonito conto de fadas ou uma história interessante. Tanto quanto os adultos, que vão ao teatro ver a mesma peça várias vezes, ou até mais. Porque as crianças raramente o fazem para se exibir; fazem-no para conhecer as coisas a fundo.

O tempo na escola corre rápido demais, como se por trás houvesse alguém com um chicote, apressando os minutos.

A brincadeira foi bem agradável.

Na aula de aritmética, tivemos a presença do inspetor.

Dizem que devemos nos esforçar sempre, mesmo quando ninguém está olhando. Que ainda que não haja ninguém vigiando devemos nos comportar bem. Mas eles próprios nem sempre o fazem.

Quando o inspetor está presente, todo mundo se empenha mais. Até o diretor. E toda a escola parece em festa. Não se sabe de que têm medo, porque o inspetor é um bom sujeito, muito agradável, nada diferente de um homem comum.

Ele nos mandou calcular o volume de uma caixinha. Mas Domingos estava tão nervoso que não ouviu bem e perguntou:

— O volume de uma coxinha?

Pensamos que ele ficaria furioso e que a professora reclamaria conosco depois. Mas ele se acabou de rir:

— Se você só pensa em coxinha de galinha, deve ser um bom garfo!

─────(Janusz Korczak)─────

Todos começaram a rir, mas a seguir deram respostas corretas. A professora acabou nos elogiando. E a aula foi bem agradável.

Outro dia a professora estava fazendo aniversário. Era um dia de muito frio, e combinamos que iríamos colocar um pinheirinho enfeitado na sala. Mas não arranjamos o pinheirinho. Quisemos, então, escrever um belo cartão de parabéns, mas começaram as discussões, e também não deu em nada. Devia ser um trabalho coletivo: um escreveria o texto e todos assinariam embaixo. Primeiro, deliberaram que cada um teria de dar cinco centavos. Mas quem vai comprar o cartão, e o que se deve escrever? Não chegamos a um acordo. Portanto, não aconteceu nada. Só alguns alunos fizeram uns desenhos e deixaram na mesa, e na lousa escrevemos: "Melhores votos de aniversário". Alguns queriam acrescentar: "Muita saúde e felicidade". E outros propunham até: "Um marido bonitão".

E ficaram inventando uma porção de bobagens, mas nós não deixamos. E estávamos com pressa para terminar antes do fim do recreio.

A professora olhou e apenas sorriu. Mas deve ter pressentido alguma coisa, porque não tivemos aula, só leitura. A professora trouxe um livrinho, *Nosso garoto*, e leu durante a aula toda.

Um belo livro. Triste.

Só acho desagradável quando interrompem a leitura para acrescentar ou esclarecer alguma coisa. Quem ouve atentamente deve entender tudo — e, mesmo que algo lhe escape, será capaz de deduzir o sentido depois.

Alguns gostam de fazer perguntas, outros reclamam que as perguntas estão atrapalhando. Mas raramente perguntam porque querem mesmo saber, e sim para aparecer, mostrar como são cuidadosos.

Se o livro não for muito interessante, não faz mal que haja interrupções e explicações; o tempo passa mais rápido. Mas quando o texto é bom, ficamos com receio de que a professora não tenha tempo de terminar. E mesmo que fiquemos sem entender alguma coisa, o resultado parece mais misterioso.

(Quando eu voltar a ser criança)

A professora teve tempo de ler o livro todo, e antes que o sinal batesse nos agradeceu pelas felicitações.
Já sei por que o fez. No início da aula, temia que a turma começasse a gritar e ela não conseguisse ler. Os professores têm medo de qualquer festa na sala de aula, de qualquer alegria, qualquer explosão de contentamento. É chato, mas parece que tem de ser assim.
Aconteceram também diversas brincadeiras, e a semana passou em meio à alegria. Mas houve também várias tristezas, pequenas e maiores. Algumas de ordem pessoal, outras por solidariedade.
Nós, crianças, sofremos muito por compaixão quando vemos que alguém está em dificuldades.
O professor rasgou um caderno, quase novo, de Henrique. Ele tinha feito um trabalho com displicência; não propriamente com displicência, mas estava com muita pressa, porque a mãe dele estava doente e ele tinha muita coisa para fazer em casa. Nem pretendia fazer o trabalho, mas ficou com medo do professor. E a emenda resultou pior que o soneto. Porque o professor estava de mau humor e disse:
— Um aluno que não tem vergonha de mostrar ao professor um garrancho desses...
E rasgou o caderno quase novo.
Não gosto muito de Henrique. Ele fica sentado longe de mim, vejo-o pouco e quase não converso com ele. Nos jogos e nas brincadeiras, ele é meio selvagem, e parece ser muito pobre.
Mas fico espantado, porque pela primeira vez o vejo chorar. Lágrimas lhe escorrem pelo rosto, de verdade. Depois fica sentado, acabrunhado.
Olho para ele uma, duas vezes, e no intervalo me aproximo dele.
Quando eu era professor, ficava admirado de que cada vez que eu castigava alguém, quer justa ou apressadamente, logo um grupo reunia-se em torno dele, conversando, consolando. Até mesmo o pior elemento sempre encontrava aliados entre os melhores. Aliados contra mim.

Eu dizia: "Não brinquem com ele, não lhe deem a mão". E eles faziam tudo ao contrário.

Mas agora entendo.

O professor só faz acusar, então alguém precisa defender. Pois se sabe que o acusado, embora não diga nada, poderia alegar alguma coisa em sua defesa. No mundo adulto, até o pior criminoso tem um advogado.

Muito bem, ele escreveu displicentemente no caderno. Não é normal: até o sujeito mais preguiçoso e descuidado costuma se esmerar quando começa um caderno novo.

Bem, e daí?

A mãe está doente. Se a letra dele sempre foi ruim, quanto mais agora! E existem aqueles que, por mais que queiram escrever bonito, não conseguem. O papel de um caderno barato é de má qualidade, a pena deve estar gasta, a tinta aguada, o mata-borrão só faz borrar.

Por coincidência tenho um caderno novo, então dou a Henrique. Ele fica contente, diz que justamente agora não pode pedir ao pai, porque a família está sem dinheiro por causa da tal doença.

Ele havia me provocado algumas vezes, mas sei que não o fará mais. Podemos guardar distância, mas quando ele está com problemas precisa ser ajudado.

O segundo desgosto por compaixão foi o seguinte:

A nova funcionária encarregada da higiene achou um piolho na camisa de Alberto. Logo começou a implicar com ele. Com ele e com todo mundo. Diz que os garotos não se lavam direito, têm garras enormes e não engraxam os sapatos.

(Claro: as crianças têm garras, quem tem unhas são os adultos.)

Por que ela não diz que um de nós tem piolho, por que mete a turma toda no meio? E por que envergonhar o garoto até as lágrimas? Ter piolho é coisa que pode acontecer a qualquer um. Não se sabe de onde eles vêm. Nem sempre lidamos só com pessoas limpas. Sentamo-nos perto de outros garotos, deixamos o casaco pendurado junto de outros casacos. Algumas famílias alugam quartos, e o inquilino, quem sabe, pode ser sujo. E tem tanta criança pequena zanzando sempre pelo pátio...

Mas logo vêm ironias e piadas. Até nossas mães acabam envolvidas na conversa, coisa que a mulher da higiene definitivamente não tinha o direito de fazer.

E os puxa-sacos, só para se fazerem de interessantes, intervêm na conversa com piadinhas que espezinham. E com risadas. O riso à custa de alguém que sofre é abominável.

Engraxar os sapatos? Muito bem, desde que tenhamos uma escova para passar graxa, uma latinha de graxa e outra escova para dar brilho. Mas o que fazer se a sua escova perdeu todos os pelos e já está na madeira? E se uma lata de graxa, tamanho médio, custa vinte centavos? Passar cuspe pode dar certo às vezes, mas depois fica pior do que nunca, e nem a graxa adiantará muito.

Como se nós dependêssemos de nós mesmos...

O pior caso é o de Mundinho, que tem sapato apertado. Machucou o pé e está mancando cada vez mais. Eu tenho problemas com o meu casaco, grande demais; mas o problema dele é pior ainda.

Ele tem medo de contar em casa, porque os pais vão reclamar: eles queriam comprar um número acima. Mas ocorre que na época o sapato que agora aperta era grande demais.

— Não sei o que aconteceu. Parece que a pessoa cresce desigual. O último par gastou todo e continuava muito grande. Na época, meu pé não crescia de jeito nenhum, mas de uns seis meses para cá fiquei com umas patas que nem sei de onde e como surgiram. Tudo ficou pequeno para mim. Não posso fazer ginástica, porque tenho medo de que tudo rasgue, estoure. Pelos barulhos que a roupa está fazendo, parece que falta pouco. O professor fica zangado porque não me esforço, não coloco as mãos direito no chão, fico marchando fora do ritmo; mas não lhe ocorre olhar como estou vestido.

— E o que você vai fazer?

— Sei lá... Quando não conseguir mais andar de jeito nenhum, eles acabarão percebendo. Então, valha-me Deus. Vão gritar comigo, são até capazes de me bater. Ora, não é minha culpa se estou crescendo. Um dia esse crescimento acaba.

A seguir comentamos que quando se dá aguardente a um filhote de cachorro, dizem que ele para de crescer. Será que os pôneis ficam pequenos porque alguém lhes deu bebida alcoólica? No ano passado vi um pônei lindo, carregando o cartaz de um circo.

— Você viu mesmo?
— Claro que vi!
— No centro?
— Não, no meu bairro.

Os adultos ficam espantados quando nos veem brigando; e, no entanto, somos solidários entre nós. Pois é, existem dois grandes times: os adultos e as crianças. E, depois, um grupinho contra outro grupinho, e cada um contra cada um. Só Mundinho é meu amigo de verdade — e ainda assim, não sei por quanto tempo.

Meu maior aborrecimento pessoal é que tenho dificuldade na escola. Estou esquecendo aquilo que sabia quando era adulto. Agora não posso mais deixar de prestar atenção nas aulas, preciso tomar cuidado e fazer bem os deveres.

Acho difícil responder quando me interrogam. Não tenho certeza se estou sabendo. Tenho medo de que não dê certo.

Quando o professor ou a professora olham para a turma querendo escolher um aluno para interrogá-lo, meu coração começa a bater num ritmo diferente. Talvez não seja medo, mas mal-estar. Como se fosse uma investigação policial; não basta não ter culpa, nunca se sabe em que vai dar.

E não depende só de mim, mas da turma. Uma coisa é responder quando a turma sabe e entende; já quando os colegas não sabem, tudo é diferente, e a professora acaba se impacientando.

Se alguém falou bobagem antes de mim, é difícil responder corretamente logo a seguir.

Por isso há dias em que todos, mesmo os piores alunos, sabem tudo; e os dias fatais em que a turma toda parece abobalhada. A não ser que o aluno seja indiferente ao clima coletivo e comece a responder por conta própria. Mas então sentimos que todos estão torcendo contra e ficam à espera do seu fracasso. Tem alguma coisa no ar, como se todos estivessem pensando: "Você vai errar, você vai errar!"

Paciência: não sei, não entendi, não consigo. Por que seria obrigado a entender? E, se não entendi, isso quer dizer necessariamente que não prestei atenção? As crianças menos talentosas não têm, por acaso, direito a um lugarzinho ao sol?

A professora me chamou à lousa. Um teste de recuperação. Minha cabeça está dando voltas. O que me espera só pode ser: "Mais um zero para você".

Alguns sabem fingir segurança, pigarreiam, assumem uma expressão de orgulho; outros se tornam humildes, dignos de compaixão; e há também os que sabem aproveitar instantaneamente qualquer ideia que alguém lhes sopre. Parece que o sujeito está tentando resolver o problema sozinho, mas no fundo está esperando uma palavra da professora. E quem sabe no último momento acontecerá algo inesperado que lhe trará a salvação?

Cada um tem seu jeito de tentar sair do apuro. Eu também tenho. Mas a professora já está de marcação comigo. Não diria que ela está me perseguindo, mas fica me vigiando.

Os colegas fazem sinais com os dedos mostrando que falta pouco para o sinal. Mas isso não é consolo. Ou ela me mandará ficar depois do sinal, o que é a pior solução, ou então não me dará nota, mas lembrará o meu desempenho:

— Péssimo.

Eu sei que não fui nada bem, e só fico esperando para ver se ela resolve brigar comigo ou fazer piadinhas.

Mas o que ocorre é coisa pior ainda. Ela faz um discurso me recriminando.

— O que foi que aconteceu com você? Ficou tão displicente! Não presta atenção na aula, escreve sem cuidado, perdeu o interesse por tudo. E eis os resultados. Ontem fizemos um problema muito parecido. Se tivesse prestado atenção...

Tudo perdido.

Pois é, alguma coisa se estragou dentro de mim. Ficamos enguiçados e nos corrigimos sucessivamente. Nunca é sem motivo. Quem não sabe o que se passa na minha cabeça e o que meu coração sente pensa que é fácil me julgar.

Tudo perdido.

A professora não gosta mais de mim. E está irritada por ter se enganado. O melhor é ser desde o início um aluno como outro qualquer, insignificante, anônimo. É mais seguro, mais fácil; há mais liberdade. Cobram-lhe menos, não é preciso se esforçar tanto.

Baixo a cabeça e só arrisco um olhar com o canto do olho, porque não sei se a professora está com pena, se deixará de gostar de mim.

O professor nunca diz que gosta de um aluno, mas é uma coisa que a gente sente. A voz fica diferente, o olhar também. Às vezes, de repente, ele nos repele, e sentimos uma onda fria nos penetrando por dentro. Sofremos muito, e não há nada que se possa fazer.

Às vezes, surge um sentimento de revolta dentro da gente. Pois que culpa temos?

Que culpa tenho se Basílio inventou uma brincadeira imbecil e espirrou umas gotas espremidas da casca de laranja dentro do meu olho? Ardeu como o diabo. Não falei nada, só esfreguei a vista.

E a professora:

— O que é que você está aprontando? Em vez de prestar atenção...

É claro que não vou contar. E coisas como essa não acontecem só de vez em quando.

Alguém te beliscou, você deu um grito e um pulo. A culpa é sua.

Os professores não têm ideia do medo que temos daqueles que são chamados de "bonzinhos".

Um sujeito desse tipo faz o que quer e nada lhe acontece. É uma infelicidade tê-lo ao nosso lado ou atrás de nós. Nunca sabemos o que acontecerá dentro de um minuto ou dentro de uma hora.

(*Quando eu voltar a ser criança*)

Já em outro incidente eu tive um pouco de culpa.

Estou tranquilamente sentado na aula e, de repente, vejo que Serginho, na minha frente, tem cinco impressões digitais marcadas com giz nas costas da camisa. No recreio, alguém deve ter passado giz na mão e dado um tapa nas costas dele. Ele não sabe de nada, mas tem uma mancha de giz em forma de mão na camisa.

Sinto vontade de verificar se era mão direita ou esquerda. Pretendia fazê-lo de longe, mas sem querer toco nele. Serginho vira a cabeça. O professor reclama que ele não sabe ficar quieto. E lá vem Vítor:

— Olhem só a mãozona na camisa dele!

O professor logo se volta contra mim.

Não adianta mostrar que minha mão está limpa. O professor ordena:

— Fiquem em pé, os dois!

Não ficamos em pé muito tempo. Mas não é disso que se trata. O que magoa é que todos os nossos assuntos são liquidados às pressas e de qualquer maneira, como se para os adultos a nossa vida, as nossas preocupações e insucessos não passassem de acréscimos aos problemas verdadeiros que eles têm.

É como se existissem duas vidas: a deles, séria e digna de respeito; e a nossa, que é como se fosse de brincadeira. Somos menores e mais fracos; então, tudo que nos diz respeito parece um jogo. Por isso o pouco caso.

As crianças são os homens do futuro. Quer dizer que eles existirão um dia, mas por enquanto é como se ainda não existissem. Ora, nós existimos: estamos vivos, sentimos, sofremos.

Nossos anos de infância são anos de uma vida verdadeira. Por que nos mandam aguardar, e o quê?

E eles, os adultos, será que se preparam para a velhice? Não desperdiçam levianamente as suas forças? Por acaso gostam de ouvir as advertências de velhos ranzinzas?

Na cinzenta monotonia da minha vida de adulto, lembrei-me das vivas cores dos anos da infância. Voltei atrás, deixei iludir-me pelas reminiscências. E eis que ingressei na cinzenta monotonia dos dias e das semanas de criança. Nada lucrei, mas perdi o tempero da resignação.

Estou triste. Me sinto mal.

Estou terminando o meu estranho relato. Os acontecimentos se precipitam.

Levo o postal de Mariazinha para a escola, para mostrar a Mundinho. Vítor o arranca da minha mão.

— Devolva!

Ele está fugindo.

— Devolva já, ouviu?

Ele agita a mão com o postal e grita o mais alto que pode:

— Tríplico! Uma carta da noiva!

Arranco-lhe o cartão. Amasso-o e rasgo em pedacinhos. Nem reparo que um pedaço caiu no chão.

Estou enlouquecido de dor e de raiva. Mas Vítor continua:

— Olhem só, pessoal! Ela o beija cem milhões de vezes!

Eu me aproximo e dou-lhe um tapa na cara.

O diretor me agarra pela mão.

— Pois é. Ficou estragado. Costumava fazer desenhos bonitos. E escrevia bem. Agora não presta atenção. É agitado. Faz os deveres de qualquer maneira.

Mandam chamar minha mãe.

— Espere só o seu pai voltar do trabalho. Nunca mais ele te dá dinheiro para o cinema.

Estou acossado de todos os lados.

De todos os lados vêm palavras más, olhares maus e anúncios de algo pior ainda.

Mundinho quer me consolar. Bem sei, mas não aguento mais.

Empurro-o brutalmente. Lanço uma acusação irrefletida:

— É tudo por sua causa.

Mundinho olha para mim espantado. Por quê? A troco de quê?

Tudo por causa daquele postal.

(Quando eu voltar a ser criança)

Odeio Mariazinha. Uma boba. Uma leviana. Capaz de dançar a noite inteira. Revira os olhos, fazendo-se de sedutora.

Pena que ela esteja tão longe. Faria tudo para contrariá-la. Daria uns safanões. Jogaria o laço de fita na sarjeta.

Arranco o broto de ervilha do vaso. Jogo-o pela janela. Irene tem lágrimas nos olhos. Sente que algo terrível aconteceu.

Não ter nada, não ter ninguém. Malhado, onde está você?

Não. Para que quero esse cachorro? Deixem Roberto ficar com ele, como juros pelo dinheiro que emprestou. Comprou-o por dez centavos. Deixem Malhado lamber as mãos dele.

Destruí todas as lembranças, rompi com o mundo inteiro. Fiquei só. Minha mãe?

Pois ela não disse que me renega? Que só quer saber de Irene?

E nada de mim?

Sou indigno, marginal, maldito, brigado com a vida.

Tudo e todos me abandonaram. Só vejo traição em toda parte.

— É agitado. Faz os deveres de qualquer maneira.

A professora, Malhado, minha mãe.

Subo correndo para o sótão e me sento no degrau em frente à porta. Há vazio dentro de mim e vazio em volta.

Agora não penso mais em nada. Suspiro fundo.

Por uma rachadura na porta do sótão surge o homenzinho balançando a lanterna.

— Ah, é você!

Ele alisa a barba branca. Não diz nada. Fica esperando.

Num murmúrio sem esperanças, atravessando as lágrimas, digo:

— Quero ser grande. Agora desejo ser adulto.

A lanterna do anãozinho pisca na frente dos meus olhos.

* * *

Estou sentado atrás da escrivaninha.

Uma pilha de cadernos para corrigir. Na frente da cama, um tapetinho desbotado. Vidraças empoeiradas nas janelas.

Estendo a mão e pego o primeiro caderno. Um erro.

A palavra "mesa" escrita com "z". O "z" está riscado e por cima está escrito um "s". Mas depois o "s" está por sua vez riscado e mais em cima aparece de novo o "z".

Pego um lápis azul e escrevo num papelzinho: "Meza" — "meza"...

É uma pena. Mas não quero voltar atrás.

O autor

Henryk Goldszmit, que ficaria mundialmente conhecido como Janusz Korczak, nasceu em Varsóvia, na Polônia, em 22 de julho de 1878. Filho de judeus ilustrados e prósperos, teve uma ótima educação e uma infância relativamente normal — até que seu pai precisou ser internado por problemas psiquiátricos. Na ocasião, os recursos familiares se reduziram, mas Henryk se refugiou na literatura, ampliando ainda mais sua cultura.

Em 1896, a morte prematura do pai obrigou o jovem Henryk, então com 17 anos, a ajudar financeiramente a família. Ele começou a dar aulas particulares e descobriu seu amor pelas crianças e pela educação. Foi nesse período que se tornou amigo da gente miúda dos bairros pobres de Varsóvia e começou a escrever contos e artigos.

Em 1898, ingressou na Faculdade de Medicina de Varsóvia e passou a ser conhecido pelo pseudônimo Janusz Korczak — à época, já havia diversas leis antissemitas, o que talvez explique a escolha de um nome polonês.

O caminho natural, segundo suas inclinações, foi optar pela Pediatria. Graduou-se em 1904 e fez residência no Hospital Judaico infantil. No ano seguinte, foi convocado para a Guerra Russo-Japonesa — a Polônia vivia então sob domínio russo —, mas continuou produzindo e publicando seus escritos. Em 1906, retornou ao Hospital Judaico, onde trabalhou por sete anos, atendendo sobretudo crianças carentes e órfãs.

Em 1912, ao lado de sua fiel colaboradora Stefania Wilczynska (conhecida como Stefa), Korczak fundou o orfanato Dom Sierot, que

······(Janusz Korczak)······

chegou a abrigar 150 crianças entre 7 e 14 anos. Foi ali que surgiram os princípios revolucionários de Korczak referentes à educação: democracia, autogestão, horizontalidade nas relações, rejeição total aos castigos físicos, diálogo, respeito aos direitos da criança, incentivo ao lazer e ao aprendizado prazeroso.

Durante a Primeira Guerra Mundial (1914-1918), Korczak foi novamente convocado e serviu como médico. Com o ocaso do regime czarista, em 1917, a Polônia voltou a ser um país independente. Ao final dos conflitos, Korczak foi convidado a auxiliar na fundação de novos orfanatos e continuou trabalhando com crianças. Escreveu diversos livros nesse período, entre eles sua obra-prima, *Quando eu voltar a ser criança*, de 1926. Entre 1934 e 1936, viajou para a Palestina, onde se reencontrou com suas origens judaicas.

Porém, com a ascensão de Adolf Hitler na Alemanha, em 1933, o antissemitismo se espalhou pela Europa com grande rapidez. O boicote social e econômico aos judeus e a violência escancarada contra esse povo tornaram-se realidade. Korczak também sofreu com isso: embora respeitadíssimo por seus feitos, ele foi afastado das instituições não judaicas e impedido de publicar seus artigos na mídia polonesa.

Em 1º de setembro de 1939, o exército alemão invadiu a Polônia, subjugando mais de 3 milhões de judeus. No ano seguinte, estes passaram a ser confinados em guetos. Confinado no gueto de Varsóvia, Korczak fez de tudo para manter a rotina no orfanato judaico, apesar de todas as dificuldades enfrentadas.

Entre julho e setembro de 1942, mais de 300 mil pessoas foram deportadas do gueto de Varsóvia para campos de concentração. As 200 crianças do orfanato e dezenas de educadores teriam o mesmo destino. Embora tenha recebido ao menos duas ofertas de salvo--conduto, Korczak se recusou a abandoná-los.

Em meio à confusão provocada pelo embarque nos trens, marchou silenciosamente com seus órfãos, uma criança em cada mão, mantendo o olhar sereno e a cabeça erguida. Foi assassinado, ao lado de seus colegas e alunos, em agosto de 1942, no campo de extermínio de Treblinka.

Seu legado permanece entre nós e continua inspirando mulheres e homens ao redor do mundo.

Memorial para Janusz Korczak no campo de extermínio de Treblinka

Detalhe do memorial a Janusz Korczak em Varsóvia

www.gruposummus.com.br